나이팅게일

FLORENCE NIGHTINGALE

병원·의료 제도를
개혁한 영국의
'광명의 천사'

중앙교육연구원(주)

세계 위인전(전 36 권)

1	간디(Mahatma Gandhi)
2	에디슨(Thomas Alva Edison)
3	나이팅게일(Florence Nightingale)
4	플레밍(Alexander Fleming)
5	다라이라마(The Dalailama)
6	다윈(Charles Darwin)
7	피터 스콧(Sir Peter Scott)
8	다미앙(Father Damien)
9	마리 퀴리(Marie Curie)
10	테레사(Mother Teresa)
11	마르코니(Guglielmo Marconi)
12	투투(Desmond Tutu)
13	마틴 루터 킹(Martin Luther King)
14	겔도프(Bob Geldof)
15	슈바이처(Albert Schweitzer)
16	브라유(Louis Braille)
17	발렌베르크(Raoul Wallenberg)
18	뒤낭(Henry Dunant)
19	파스퇴르(Louis Pasteur)
20	바웬사(Lech Walesa)
21	고르바초프(Mikhail Gorbachyov)
22	뉴턴(Isaac Newton)
23	몬테소리(Maria Montessori)
24	베넨슨(Peter Benenson)
25	알렉산더 벨(Alexander Graham Bell)
26	구텐베르크(Johannes Gutenberg)
27	미드(Margaret Mead)
28	채플린(Charlie Chaplin)
29	아인슈타인(Albert Einstein)
30	링컨(Abraham Lincoln)
31	만델라(Nelson Mandela)
32	엘리노 루스벨트(Eleanor Roosevelt)
33	갈릴레이(Galileo Galilei)
34	베이든 파웰(Robert Baden-Powell)
35	와트(James Watt)
36	라이트 형제(The Wright Brothers)

＊본 세계 위인전은 1차분(1~20)과 2차분(21~36)으로 나뉘어 제작되었습니다.

머 리 말

영국의 엑슬리(EXLEY) 출판사가 발행한 이 위인전 시리즈는 어린이뿐 아니라 교육계와 출판계로부터 아낌없는 찬사를 받고 있습니다. 이제 세계 8개국에서 번역 출판되고 있는 이 위인전을 우리 나라에서는 저희 중앙교육연구원(주)이 엑슬리 사와 독점 계약을 맺고 출판하게 되었습니다.

지금까지 나온 위인 전기들은 인물의 업적을 과장하거나 무조건 미화시켜 신화적 인물로 내세웠기 때문에 독자들로부터 호응을 얻지 못했습니다.

그러나 중앙 위인전은 그 인물이 살던 시대의 상황이나 역사적 배경 등을 사실 그대로 묘사했습니다. 또 위대한 발명이나 발견, 그리고 새로운 사상 그 자체만을 나열하는 데 그치지 않고 우리의 일상 생활에 미친 영향에 대해서도 깊이 있게 서술했습니다.

또한 근대 인물과 현존해 있는 인물들을 다루어 현실에 대한 인식을 공감할 수 있도록 배려했습니다. 그리고 과학자, 인도주의자, 평화주의자, 자연 보호주의자 등 여러 분야의 인물들을 다루어 편견 없는 감정적 교훈과 더불어 과학적 사고 능력도 높일 수 있도록 꾸몄습니다.

선명한 컬러 사진과 도표, 지도는 물론 귀한 자료들을 충분히 실어 이해를 도왔습니다. 또 그 인물의 연설 내용이나 중요한 주장을 담은 어록과, 그 분야 권위자의 비평도 함께 실었습니다. 문장도 간결하고 생동감이 넘치도록 다듬어 국민 학생에서부터 성인에 이르기까지 누구나 쉽게 읽을 수 있도록 엮었습니다.

교육학자 호머 레인은 '감정이 자유로우면 지성은 스스로 발달한다.'고 했습니다. 호머 레인의 말처럼 내일의 희망인 우리 어린이들이 중앙 위인전을 통해 위인들의 감성은 물론 꿈과 용기를 이어받아 보다 나은 일생을 설계하게 되기를 바랍니다.

외국 여행

여섯 마리의 말이 끄는 마차가 언덕 꼭대기에 이르자 심하게 흔들렸다. 그러나 나이팅게일 가족이 프랑스에서 겪었던 험한 길에 비하면 이런 이탈리아 길은 아무것도 아니었다.

마차 안에서 아버지는 그리스 말로 된 책을 보고 있었고, 어머니는 바닥 깔개로 몸을 감싼 채 반쯤 누운 자세로 몸을 뒤척였다. 언니 파세노프는 무슨 일인지 뾰로통해 있었고 플로렌스는 황혼을 바라보며 생각에 잠겨 있었다.

1838년 2월 나이팅게일 가족은 유럽을 여행하고 있었다. 마차는 10명 정도가 탈 수 있을 만큼 넓었고 편리한 시설들이 골고루 갖추어져 있었다.

밖에 재미있는 구경거리가 있거나 날씨가 화창할 때면 플로렌스와 언니 파세노프는 밖으로 나가 하인들과 함께 놀곤 했다.

비록 마차가 크기는 했지만 험한 길과 벼룩이 설치는 잠자리는 나이팅게일 가족 같은 여행자에게는 용기와 인내를 필요로 하는 모험이었다. 그러나 나이팅게일 가족은 즐거워했으며, 특히 플로렌스는 더욱 그러했다.

지난해 9월 영국을 떠난 후부터 그녀의 하루하루는 흥분으로 가득 넘치고 있었다. 여행을 하는 동안 마치 아라비안 나이트의 꿈이 현실로 이루어지는 것 같았고, 집에서는 느낄 수 없었던 새로운 즐거움이 가득했다.

영국에서 많은 사촌과 이모, 그리고 친구들과 즐겁게 지내면서도 플로렌스는 지루함을 느꼈었다. 18세의 플로렌스는 화를 잘 내는 언니 파세노프보다 똑똑했다. 그러나 플로렌스는 명석한 두뇌와 지나친 감수성을 함께 지닌 소녀였다.

파세노프는 파세라고도 불리었는데 플로렌스보다 한 살이 더 많았다. 성격은 매사에 꼼꼼한 아버

플로렌스 나이팅게일은 부유한 가정에서 태어났다. 그녀의 집안은 하인을 거느리고 7개월 동안이나 유럽을 여행할 만큼 경제적 여유가 있었다. 나이팅게일 가족의 마차는 그림에서 보는 것보다 훨씬 웅장했다. 6마리의 말이 끄는 마차에는 짐을 포함해서 10명 내외의 사람이 탈 수 있었다.

5

지보다 활발한 어머니를 닮았다. 파세는 그리스어, 라틴 어, 독일어, 프랑스 어와 같은 까다로운 과목들을 좋아하지 않았다.

그녀는 또 아버지로부터 역사와 철학을 공부하도록 강요당했다. 이와 반대로 플로렌스는 그런 과목들을 좋아했을 뿐 아니라 모든 과목에서 우수한 성적을 보였다.

나이팅게일 가족이 영국 사람들이 많이 살고 있는 프랑스의 남쪽 항구 도시 니스에 도착했을 때 플로렌스는 무도회에 푹 빠졌다. 또 이탈리아 해변의 제노바는 무도회와 연주회, 그리고 오페라가 자주 공연되는 멋진 도시였다. 이 곳 역시 두 자매를 좋아하는 젊은이들로 가득했는데 특히 플로렌스가 그들의 관심을 끌었다.

플로렌스는 부모가 유럽 여행중이던 1820년 5월 12일에 이탈리아의 피렌체(플로렌스)에서 태어났는데 그 고향이 바로 눈앞에 놓여 있었다. 그래서인지 그 도시는 생각했던 것보다 더욱 아름답게 보였다.

도시 곳곳에 웅장한 궁전과 교회가 서 있었다. 또 아름다운 그림과 동상들은 플로렌스를 반기기 위해 잘 차려 입고 나온 사람처럼 생기 있어 보였다. 플로렌스는 음악을 무척 사랑했는데 피렌체는 음악이 가득 넘쳐흐르는 도시였다.

그 곳의 무도회는 플로렌스가 여행해 본 그 어느 곳보다 화려했다. 플로렌스는 음악과 흥겨운 분위기 속에서 새벽이 될 때까지 춤을 추었다. 이곳 저곳을 여행하고 오페라와 음악회를 구경하다 보니 금세 겨울이 지나갔다. 봄이 가까워지자 곳곳에서 흥겨운 축제가 벌어졌다.

두 마음

여름 내내 아름다운 이탈리아 호수를 구경하고 난 뒤 나이팅게일 가족은 스위스의 제네바로 갔다. 당시 제네바는 정치 피난민들로 가득 차 있었는데 이 곳에서 플로렌스는 지금까지 자기가 살아왔던 것과는 전혀 다른 세계에 대해 배우게 되었다.

그것은 가난과 고난, 그리고 용기와 결단력이었

언니 파세노프와의 다정한 한때.
아름답고 우아한 두 자매는 결혼
전에 책을 읽거나 음악을 듣고
수를 놓으며 지냈다.
나이팅게일은 더 많은 것을
배우기 위해 노력했으며 부유한
집 여자들이 쓸데없이 시간을
보내는 데 괴로워했다.

다. 환상에서 벗어나 현실에 도전하려는 그녀의 열
망이 서서히 자라나기 시작했다. 그녀는 아름다움
과 즐거움을 사랑하는 한편 엄격한 규칙과 질서도
사랑하게 되었다.

그녀의 일기장에는 무엇인가에 대한 강한 열망
과 흥미로운 대상들에 대해 자세히 기록되어 있다.
아름다운 경치를 구경하고 사람들과 함께 파티를
즐겼다는 내용 속에도 가난한 사람들의 어려움이
담겨져 있었다.

즐겁게 놀고 경솔한 행동을 하면서도 전쟁이 휩
쓸고 간 마을의 비참한 생활을 눈여겨보았다. 그녀
는 유럽으로 가서 춤과 음악, 오페라, 그림은 물론
고상한 건축에 대해 폭넓게 배웠다.

긴 여행을 통해 플로렌스는 중대한 결단을 내리
게 되었다. 그것은 그녀 자신의 삶의 목적을 정하

는 일이었다.

1837년 2월 7일 그녀는 자신의 노트에 다음과
같이 썼다.

'신이 나에게 말하기를, 나의 종이 되라.'

그 날부터 플로렌스는 신에게 복종해야 하며 아
무리 어려운 임무가 주어진다 해도 하지 않으면
안 된다는 것을 확신하게 되었다. 그녀는 자신에게
몇 가지 뚜렷한 삶의 목적이 있다고 생각했지만
이미 16년이란 세월이 지난 뒤였다.

어두운 그림자

1839년 영국으로 돌아왔을 당시만 해도 플로렌
스의 삶에 큰 변화가 일어날 것 같지는 않았다. 그
녀의 부모는 플로렌스의 가슴 속에 묻혀 있는 고
민을 알지 못했다.

플로렌스의 가족들은 고향에 있는 두 채의 집과
런던의 집에서 번갈아 가며 생활했다. 플로렌스를
만나는 사람들은 그녀의 활기찬 모습과 아름다운
갈색 머리, 그리고 우아한 태도와 뛰어난 재치에
칭찬을 아끼지 않았다.

그녀의 가장 친한 친구인 마리안느의 오빠 헨리
니콜슨은 플로렌스와 결혼하기를 원했다. 마리안느
는 플로렌스가 결혼 제안을 받아들이도록 온갖 노
력과 설득을 했다.

플로렌스의 어머니 파니도 두 사람이 결혼함으로

창가에서 책을 읽고 있는 젊은
시절의 나이팅게일. 그녀는
집에서 가장 차분한 딸이었으나
그녀의 마음 속에 맺혀 있는
고통은 아무도 알지 못했다.

9

젊은 시절의 나이팅게일. 집에서 나왔을 때의 모습으로 상류 사회를 싫어한 나머지 평범한 옷을 입고 있다.

써 자기 딸이 훌륭한 귀부인으로 성공할 수 있을 것이라고 생각했다.

그 당시 플로렌스는 '신의 종'이 되어야 한다는 사실을 잊어버리고 있었다. 하지만 그 해가 지날 무렵 그 생각에 괴로워하기 시작했다.

플로렌스가 살던 시대의 훌륭한 집안 여자들은 얌전하고 교양이 있어야 했다. 또 종교를 열심히 믿어야 했고 작은 일에도 바쁘게 움직여야 했다. 집안일은 노예들이 했고 남자들은 바깥 세계로 나가 활동했다. 그러나 여자에겐 직업을 가질 수 있는 희망조차 없었다.

반면 노예 계층의 여자들은 하루 종일 소음 가득한 공장에서 일하거나 부유한 집안의 일을 거들어 돈을 벌었다. 그러나 수입이 워낙 적었기 때문에 생활이 몹시 어려웠다.

부유층 여자들의 삶은 단순하고 지루한 날의 연

속이었다. 대부분의 남자들이 여자들의 사회 활동을 무척 못마땅하게 생각했기 때문이다. 여자들은 작가나 화가로 성공하기도 힘들었으며 설령 성공한다 해도 많은 어려움을 겪어야 했다. 여자들은 결혼해서 살림을 잘 돌보고 남편을 잘 섬기면 그만이었던 것이다.

그러나 플로렌스는 배울 만큼 배웠고 생각도 깊은 여자였다. 찬장이나 정리하고 요리나 하는 부엌 살림에 진저리가 났다. 또 무도회나 파티가 없는 날이면 화로에 빙 둘러앉아 밤새도록 나누는 정치 이야기에 숨이 막힐 것만 같았다. 답답한 마음에 큰 소리라도 지르고 싶었다.

그래서 날이 갈수록 우울해져 갔고 결국 병에 걸리게 되었다.

가족들은 마이 이모가 플로렌스를 런던으로 데리고 가서 많은 사람들을 사귀게 하여 사회를 이해하도록 하는 것이 플로렌스의 병을 치료할 수 있는 길이라고 믿었다.

빅토리아 여왕이 앨버트 공(公)과 결혼할 무렵 플로렌스는 건강한 모습으로 사람들 앞에 나타났다. 누구도 그녀가 아팠다고는 생각지 못했다. 그녀는 스스로 어리석고 하찮은 일에 많은 시간을 낭비했다고 후회할 정도였다. 그녀는 이제 완전히 달라진 것이었다.

수학 공부

플로렌스는 다시 마이 이모와 생활하면서 수학 공부를 시작했다.

그러나 수학은 그녀에게 혼돈과 지루함만 줄 뿐이었다. 마이 이모는 플로렌스의 어머니인 파니에게 편지를 보냈다.

'플로렌스와 난 아침 6시에 일어나 화로에 불을 지피고 매우 편안한 마음으로 서로의 일을 시작합니다. 플로렌스는 몇 시간씩 수학 공부를 하는 데 매우 지쳐 있습니다. 만약 열성적으로 몰두할 수 있는 대상이 있다면 플로렌스는 하루 종일 행복해할 것입니다.'

이 편지를 본 파니는 플로렌스에게 수학 공부를

나이팅게일은 세상에 쓸모있는 일을 하고 싶었다. 당시 대부분의 여자들은 가난하게 살았는데 그들은 몇 푼 안 되는 돈을 벌기 위해 긴 시간 동안 일하지 않으면 안 되었다.

FANNY SMITH
(MRS. NIGHTINGALE)

나이팅게일의 어머니 파니. 그녀는 불쌍한 사람을 도와 주려는 딸의 꿈을 이해하지 못하고 상류 사회의 화려한 생활에 빠져 있었다.

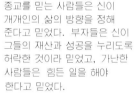
종교를 믿는 사람들은 신이 개개인의 삶의 방향을 정해 준다고 믿었다. 부자들은 신이 그들의 재산과 성공을 누리도록 허락한 것이라 믿었고, 가난한 사람들은 힘든 일을 해야 한다고 믿었다.

그만두도록 했다. 파니는 플로렌스가 평범한 주부가 되는 것이 그녀에게 정해진 운명이라고 생각했다. 아버지도 수학보다 역사나 철학을 공부하는 것이 더 현명하다고 생각했다.

플로렌스는 남을 위해 스스로 노예가 되어 봉사해야 한다는 고집을 버리지 않았고, 수학 공부도 그만두지 않았다.

그러나 그건 소용없는 일이었다. 더욱 비참해진 마음을 안고 다시 집으로 돌아오게 되었다. 그녀는 스스로의 힘으로 공부를 계속하려고 노력했다. 침대 속에서 그리스 어와 철학, 그리고 수학책을 읽었다.

가족들이 깨기 몇 시간 전에 일어나 추운 날씨에도 열심히 공부하곤 했다.

그런데 자꾸만 자신이 하찮은 일에 빠져들고 있다는 생각이 들었다. 그녀는 주위 사람들이 시키는 대로 따랐다.

집안에서 쓸모있는 사람이 되는 것이 그녀의 의무였기 때문에 항상 바빴고 진정 아무런 가치도 없는 일에 시간을 빼앗겨야 했다.

고통받는 사람을 위해

대부분의 부자들은 자신만 생각했지만 플로렌스는 가난한 사람들에게 관심을 가지고 있었다. 플로렌스는 종종 돈과 비누를 들고 가난한 사람들을 도와 주러 찾아가기도 했다.

그녀는 부유한 사람들이 식사하는 것을 늘 보았다. 식탁 위에는 어느 것을 먹어야 할지 모를 만큼 음식들이 잘 차려져 있었다.

그들은 밤을 새워 가며 바느질을 하는 여인들을 업신여기며 거드름을 피웠다.

그러나 플로렌스는 진정으로 가난한 사람들을 동정했다.

그녀는 다음과 같은 기록을 남겼다.

'나의 마음은 고통받는 사람에 대한 생각으로 꽉 차 있다. 그래서 다른 것들을 볼 수가 없다.'

그녀는 진정으로 가난하고 고통받는 사람들을 도와 주길 원했다.

그러나 그 당시는 가난한 사람을 도와 주는 것을 달갑게 여기지 않았다.

나이팅게일 시대의 사회적 배경을 나타낸 그림으로 남자 중심 사회라는 것을 알 수 있다. 나이팅게일도 여느 여자와 마찬가지로 예쁘게 보이기 위해 단장을 했다. 그녀는 심지어 요리하는 데도 관심을 가질 수 없었다. 왜냐하면 그것은 하인들의 일이었기 때문이다. 나이팅게일은 이 관습을 깨뜨린 여자였다. 그녀는 결혼에 대해서는 한 마디도 하지 않았고 가족과의 불화와 사회의 그릇된 인식에 괴로워했다. 그녀는 직업을 얻기 위해 큰 대가를 치러야 했다.

술에 취해 자고 있는 간호사를 그린 만화. 그 당시 간호사는 무식하고 사회적 찌꺼기 같은 존재로 여겨졌다. 간호사에 대한 편견 때문에 가족들은 병원에서 일하길 원하는 나이팅게일을 이해하지 못했던 것이다.

"병실에서 일하는 간호사들은 늘 먼지를 털고, 불을 피우고, 재를 치우거나 석탄을 날라야 했다. 이런 일이 끝난 뒤에야 비로소 환자를 돌보았다. 간호사에게 돈을 준 환자는 여러모로 도움받을 수 있었으나 돈을 줄 수 없는 가난한 환자는 도움을 받기 위해 며칠씩 기다리거나 그대로 죽어 가야 했다."
엘리자베스 버턴의 《초기 빅토리아 시대의 병원》 중에서

깨달음

1844년 스물네 살의 플로렌스는 자신이 무엇을 해야 할지 깨달았다. 병원에서 아픈 환자들을 도와주기로 한 것이다. 오늘날 그런 일은 칭찬받기에 충분하지만 그 당시는 그렇지 않았다.

병원은 보잘것없었고 더러웠으며 운영도 엉망이었기 때문에 사람들이 들어가길 꺼렸다. 갖가지 병으로 괴로워하는 많은 환자들이 한 병실에 수용되었으며 심지어 침대도 같이 사용했다. 다리를 다친 사람이 결핵으로 죽어 가는 환자와 같은 침대를 사용하는 모습은 흔히 볼 수 있었다. 위생에 대해 중요하게 여기지 않았기 때문이다.

어떤 병원은 청소를 하지 않아서 바닥이 불결했으며, 병실의 벽들도 습기가 차 축축하고 곰팡이로 가득했다.

환자의 친척이나 친구들이 몰래 술을 가져와 마시기도 했다. 매트리스는 환자의 때로 더럽혀져 있었고 환자가 바뀔 때마다 갈아 주어야 하는 침대의 천도 그대로 사용되었다.

의사들은 수술하기 전에 손도 씻지 않았으며 수술할 때 피가 묻은 옷을 몇 번씩이나 그대로 입었다. 간호사는 '자비의 천사'이기는커녕 부도덕하고 천박한 사람이라는 소문이 나 있었다. 사람들은 간호사를 멸시했다.

그래서 여자들은 병원에서 일하려고 하지 않았다. 사람들의 이러한 생각 때문에 플로렌스는 가족에게 병원에서 일하고 싶다는 사실을 감히 말할 수가 없었다.

첫번째 결심

1844년 여름에 미국의 박애주의자인 의사 새뮤얼 하웨가 가족과 함께 영국으로 왔다. 플로렌스는 자기가 하고 있는 일에 대해 도움을 얻기 위해 그를 찾아갔다.

"간호사가 되기는 비록 힘들지만 매우 보람 있는 일입니다."

하웨는 간호사가 되려는 플로렌스에게 희망과

The Nurse - Old Style

용기를 주었다. 그러나 1년이 지나도록 해야 할 일도, 가야 할 길도 찾을 수가 없었다.

그러나 플로렌스는 간호사가 되기로 결심하고 교육을 받기로 마음먹었다. 어머니와 언니 파세노프는 심하게 반대했다.

꾸준한 노력

1845년 플로렌스는 절망에 빠졌다. 그녀의 일기를 보면 당시의 심정을 잘 알 수 있다.

'바다 깊이 잠기고 싶다.'

친구와 가족들의 심한 압력에도 불구하고 그녀는 헨리 니콜슨의 결혼 신청을 거절했다. 왜냐하면 신이 그녀에게 내린 임무를 따르기로 한 결심이 굳어졌기 때문이다.

그녀는 남 몰래 병원에 관한 책들을 공부하기 시작했다. 그녀가 공부하는 책들은 어떻게 병원이 운영되며 병원의 발전을 위해서는 무엇이 필요한가를 가르쳐 주었다. 새벽 늦게까지 책상에 앉아 열심히 공부했다.

병원에서 일하기 시작한 날부터 나이팅게일은 병원의 잘못을 고치기 위해서는 간호사들이 훌륭해야 한다는 것을 깨달았다. 그녀는 간호사를 직업 중에서 가장 존경받는 직업으로 만들 생각이었다. 그녀는 훗날 이렇게 기록했다.

'만약 환자가 추워하거나, 열이 나거나, 정신이 희미하거나, 음식을 먹고 난 후 속이 아프다거나, 우울해한다면 이건 일반적으로 질병에 의한 것보다 간호사가 잘못 간호하여 그렇게 된 것이다.'

시드니 허버트. 그는 평생 동안
나이팅게일의 참된 친구였고
크림 전쟁 때는
나이팅게일에게 간호사를 모아
스쿠타리로 가 줄 것을
부탁했다. 그는 나이팅게일을
진정으로 도와 주었다.

친구에게 부탁해서 독일과 프랑스 병원에 관한 자료를 수집하는 등 그녀는 힘이 닿는 데까지 모든 정보를 얻으려 했다.

아침 식사 시간이 되면 플로렌스는 머리를 손질하고 공부하던 책을 치워 둔 뒤 아래층으로 내려갔다. 누구도 그녀가 숨어서 공부하고 있다는 사실을 몰랐다.

1846년 10월 플로렌스는 스물여섯 살이었다. 그때 친구 한 명이 '교회 여전도 협회'에 대한 정보를 보내 왔다. 독일의 카이제르스베르트에서 존경받고 있는 여자들이 환자를 치료하고 있다는 내용이었다.

이 정보는 플로렌스에게 어둠 속에서 반짝이는 희망의 불꽃이었다.

플로렌스는 그 곳에 가서 일을 하기로 결심했다.

로마에서의 생활

27세 되던 1847년 플로렌스는 신경 쇠약에 걸렸다. 친구들은 생활의 변화를 주어 건강을 회복시킬 생각으로 플로렌스를 데리고 로마로 갔다.

6개월 동안의 로마 생활은 그녀를 다시 건강하게 했고 거기에서 플로렌스는 미래에 어느 누구보다 소중히 기억될 사람을 사귀었다. 그는 시드니 허버트였다.

훗날 함께 일하며 서로 아껴 주었기 때문에 그는 그녀에게 더욱 소중했던 것이다.

로마에서의 생활이 기쁨만으로 이루어져 있지는 않았다. 플로렌스는 행복하게 지내는 고아원의 아이들과 기쁨을 나눈 시간이 로마에서의 가장 소중한 추억이었다.

그 곳에서 그녀는 어떻게 고아원이 조직되고 운영되는지 배웠다.

항상 그랬듯이 자신이 보고 배운 것들을 깊이 생각한 후 기록해 두었다.

그러나 집으로 돌아오자마자 다시 갇히는 신세가 되고 말았다. 로마에서의 생활은 즐겁고 유익했지만 가슴 속에 품고 있는 문제를 해결해 주지는 못했다.

어머니는 플로렌스가 가족들의 생활 방식을 왜 받아들이려 하지 않는지 이해하지 못했기 때문에 끊임없이 잔소리를 했다.

결혼은 안 돼!

1849년 플로렌스는 다시 한 번 깊은 좌절에 빠졌다. 그녀는 마리안느의 오빠와 결혼하고 싶은 마음이 전혀 없었기 때문에 결혼 제안을 쉽게 거절할 수 있었다.

그러나 사실 플로렌스의 마음 속에는 마리안느의 오빠가 아닌 다른 사람이 자리잡고 있었다. 1842년에 만났던 리처드 밀네스가 그 장본인이었다. 그는 매우 영리하고 지적인 남자였다.

그러나 결혼은 신의 종으로 남을 위해 봉사하려는 자신의 길을 막을지도 모른다는 걱정 때문에 그와의 결혼을 생각할 수 없었다.

그 해 여름 리처드가 청혼을 해 왔지만 그녀는 거절했다.

가난하고 불쌍한 사람을 위해서 일하는 의사를 그린 그림이다. 형편 없는 생활 환경과 긴 노동 시간은 도시 노동자들의 심각한 건강 문제를 초래했다. 그러나 이들을 위해 봉사하는 몇몇 의사들의 희생 정신은 나이팅게일을 자극하여 불쌍한 사람들을 돕는 일에 평생을 바치게 했다.

물론 그녀의 가슴도 아팠다. 어머니는 몹시 화를 냈지만 소용없는 일이었다.

플로렌스는 친구와 함께 이집트를 방문하였다. 그 곳에서 그녀는 보고 들은 것들을 기록하고 정리해 두었다. 이집트에서의 생활로 한때 마음의 평온을 찾은 듯했지만 그녀는 여전히 좌절감에 빠져 있었다.

그러나 이집트에서 플로렌스는 새로운 결심을 하게 되었다.

7월 31일 그녀는 독일의 카이제르스베르트에 도착했다. 그 마을 목사는 유럽 각국을 여행하는 동안 훌륭한 간호사들이 필요하다는 것을 깨닫고 병원을 세웠다.

"젊은 기독교 여인들이여, 그대들은 불쌍한 사람들을 돌보지 않겠는가!"

그는 이렇게 외치며 간호사를 모집했다. 그 곳에서 플로렌스는 독실한 기독교 여인들이 아픈 사람들을 치료해 주는 것을 보았다.

2주일 동안 카이제르스베르트에 머물면서 플로렌스는 어떤 어려움도 이겨 낼 수 있을 만큼 용감해졌다.

그녀는 그 곳에서 직접 목격한 간호사들의 일을 책으로 펴냈다. 차나 마시며 시간을 낭비하는 자기와 같은 부유층 여인들을 설득하여 함께 일할 생각이었다.

8월 31일 플로렌스가 돌아왔을 때 언니 파세의 히스테리는 점점 심해져 가고 있었다. 그녀의 어머니 파니는 플로렌스에게 집안의 명예를 떨어뜨리고 다닌다며 심하게 야단을 쳤다. 파니는 플로렌스가 자기의 생각대로 따르지 않고 자꾸 도망치려 한다고 생각하고 있었다.

파세와의 생활

이제 플로렌스는 30세의 성숙한 여인이 되었다. 그러나 열일곱 살 때 처음 신의 부름을 받아 가슴에 새겼던 큰 뜻을 아직도 이루지 못하고 있었다. 그녀는 카이제르스베르트로 돌아갈 수 있도록 부모가 허락해 주기를 원했다.

그녀는 시간이 날 때면 병원을 몰래 방문했다. 당시 병원에는 그림처럼 한 침대에 두 사람이 함께 누워 있는 것이 예사였다. 갖가지 질병으로 괴로워하는 환자들이 가득했고 냄새가 너무 지독해 향수를 뿌려야 했는데 의사들은 수건으로 코를 막고 환자들을 돌보아야 할 정도였다. 무엇보다 병원에서 먼저 필요한 것은 환자에게 피해를 주지 않는 일이었다.

그 당시는 아무리 성숙하고 학식 있고 존경받는 여인이라 할지라도 마음대로 행동할 수 없었다. 미혼 여성은 비록 성인이라 해도 어린애처럼 부모가 시키는 대로 해야 했던 것이다.

파세의 히스테리가 더욱 심해지자 어머니와 아버지는 마음대로 돌아다닌 죄로 플로렌스에게 6개월 동안 파세의 병간호를 맡으라고 지시했다. 플로렌스는 다시 한 번 굴복하고 말았다.

6개월 동안 파세를 헌신적으로 돌보았다. 그 후 플로렌스는 시드니 허버트 부부와 함께 활동하기 위해 집을 떠났다.

허버트는 집에서 구박받는 플로렌스를 동정하며 간호사가 되려는 그녀에게 희망을 불어넣어 주었다. 플로렌스는 또 여자로서는 처음으로 의사가 된 엘리자베스와도 많은 시간을 보냈다.

엘리자베스로부터 여자도 마음 속에 굳은 결심만 내리면 어떠한 일도 할 수 있다는 것을 배웠다. 그래서 플로렌스는 자신의 큰 뜻을 완성하기 위하여 중대한 결심과 함께 행동을 취해야 한다는 것을 깨달았다.

그녀의 첫번째 단호한 결심은 그녀의 가족이 결코 자신의 뜻을 좋아하지 않는다는 사실을 솔직히 받아들이는 것이었다. 1851년 그녀는 자신의 결심을 다음과 같이 기록했다.

'나는 가족들로부터 어떤 도움이나 동정도 기대하지 말아야 한다. 난 너무 오랫동안 가족의 동정을 원했기 때문에 이 사실을 쉽게 받아들일 수 없었다. 나 스스로가 어린 아이로 취급되었고, 또 그렇게 취급되도록 행동했었다.'

그로부터 2주일 후 그녀는 카이제르스베르트로 돌아갈 계획을 세웠다. 그녀의 어머니도 플로렌스의 뜻을 더 이상 말릴 수 없었다. 그녀의 어머니와 언니도 함께 독일로 가 온천에서 3개월 정도 머물면서 휴식을 취할 계획이었다.

카이제르스베르트에서의 생활

그 곳의 생활은 몹시 힘들었다. 새벽 5시에 일어나야 했고 음식은 보잘것없었으며, 식사 시간도 10

젊은 시절의 나이팅게일. 그녀는 예절바르고 상냥한 소녀였다. 그러나 가족과의 마찰로 인해 그녀는 미래에 자신이 해 나갈 일에 대해 굳은 결심을 하게 되었다.

분 정도였다.

하루의 생활이 자신의 죄를 뉘우치는 기도로 시작해서 신을 찬양하는 기도로 끝났다.

그렇지만 플로렌스는 과거 그 어느 때보다 행복했다. 31세의 나이에 그녀는 드디어 스스로 하고 싶은 일을 할 수 있게 된 것이다.

삶에 대한 보람을 찾은 플로렌스는 온천에서 쉬고 있는 어머니에게 편지를 썼다.

'저에게 시간을 주세요. 믿음을 주세요, 절 믿으세요. 그리고 절 도와 주세요.'

어머니와 언니는 아무런 답장도 보내지 않았다. 플로렌스는 다시는 가족의 도움이나 이해를 바라지 않겠다고 굳게 결심했다.

《카산드라》

플로렌스는 어머니, 언니와 함께 카이제르스베르트를 떠나 다시 집으로 돌아왔다. 그녀의 마음 속은 간호사가 되기 위해 런던의 큰 사범 학교에 들어갈 계획으로 가득했다.

그러나 집으로 돌아왔을 때 아버지가 눈병에 걸려 괴로워하고 있었다. 아버지는 자기를 돌보아 줄 플로렌스가 필요했다. 플로렌스는 이를 거절할 수가 없었다.

그녀는 아버지의 특별한 치료를 위해 함께 여행을 떠났다. 그런데 이 여행이 아버지와 플로렌스의 관계에 어느 정도 전환을 마련해 주었다. 집으로 돌아온 후 아버지는 파세와 어머니의 플로렌스에 대한 좋지 않은 감정을 누그러뜨리면서 플로렌스를 도와 주게 되었다.

이 시기에 플로렌스는 《카산드라》라는 수필집을 발표하였다. 그녀는 수필집에 번창해 가는 빅토리아 시대의 여자들이 얼마나 시무하고 단조로운 생활을 하는지에 대해 썼다.

거듭되는 시련

플로렌스는 가족들에 의해 또 한 번 시련을 겪어야 했다. 플로렌스는 독실한 기독교 신자였지만 카톨릭의 마닝 추기경에게 도움을 청하였다.

마닝 추기경은 비록 그녀가 신교를 믿는 사람이기는 하지만 간호사가 되기 위해서는 파리의 카톨릭 단체가 운영하는 병원에서 교육을 받아야 한다고 제안해 주었다.

플로렌스는 파리로 건너가 간호사 수업을 받기로 결심했다. 플로렌스의 계획을 들은 파세와 어머니는 어이가 없었다. 파세는 충격을 받아 그만 자리에 눕고 말았다.

파세의 병이 심해지자 가정 의사인 제임스 클라크의 도움이 필요하게 되었다. 1852년 8월 클라크는 자세한 진찰을 위해 스코틀랜드에 있는 자신의 집으로 파세를 데리고 갈 준비를 했다. 클라크는 플로렌스를 불러 파세와 플로렌스 서로를 위해 떨어져 살 것을 권했다. 그래서 플로렌스는 집을 떠날 수 있었다.

자유를 찾아서

클라크 의사의 권유대로 플로렌스는 가능한 한 파세의 히스테리를 무시했다. 그리고 자신의 일에만 열심히 몰두하였다.

플로렌스는 수녀처럼 옷을 입고 프랑스의 카톨릭 단체가 운영하는 병원에 들어갈 계획을 세웠다. 그녀는 1개월 만에 모든 준비를 마쳤다.

파리에 도착한 플로렌스는 병원, 보건 진료소, 양로원 등을 방문했다. 의사와 함께 병실을 찾아가 갖가지 병으로 괴로워하는 환자들이 치료받는 모습도 지켜 보았다.

플로렌스는 간호 교육도 열심히 받았다. 또한 프랑스, 독일, 영국 등 유럽 각국의 병원에 설문지를 돌렸다.

그리고 각국의 병원에서 들어온 설문지를 서로 비교해 가면서 책자와 기록표, 일람표 등을 만들어 나갔다.

지난날 숨어서 공부하던 시절에 보고 기억해 두었던 지식들이 드디어 쓸모있게 변하고 있었다. 이제 그녀의 재능이 서서히 결실을 맺어 빛을 발하기 시작한 것이다.

"1845년 병원을 방문했을 때 간호사들은 환자를 제대로 씻어 주지 않았다. 심지어 그들은 자신의 발조차 씻을 수 없었다. 물이 없어 세수도 제대로 하지 못했으며 세수를 하려면 바삐 서둘러야 했다. 환자가 있는 침대는 몹시 더러웠으며 매트리스도 습기에 젖어 있었다."

플로렌스 나이팅게일

첫번째 직업

1853년 플로렌스 나이팅게일은 런던 숙녀 병원의 감독관으로 내정되었다. 그녀는 처음으로 원하는 직업을 얻게 된 것이다.

그녀는 간호 제도 등을 새로이 구성하기 위해 고용되었다.

그녀는 오랫동안 준비해 왔기 때문에 전문적인 그 일을 맡을 수 있었다.

이 소식을 들은 어머니와 언니는 음식도 먹지 않고 깊은 슬픔에 잠겼다. 그들은 집안 망신이라며 나이팅게일을 원망했다.

그러나 그녀는 집안의 원망에 신경쓰지 않고 하고 싶은 일을 계속 밀고 나갔다. 아버지도 플로렌스의 편을 들었다.

나이팅게일은 가족의 반대에도 불구하고 런던에 자리를 잡았다.

이제 나이팅게일은 혼자서 모든 일을 결정하고 실행할 수 있게 된 것이다.

할레이 1번가

1853년 8월, 나이팅게일은 33세의 나이로 런던 할레이 1번가에 있는 숙녀 병원의 감독관이 되었다. 나이팅게일은 비로소 인생의 진정한 첫발을 내딛게 된 것이었다.

마치 오랜 시간 참고 기다려 온 아름다운 꽃이 어느 날 갑자기 봉오리를 활짝 피우는 것 같은 기쁨이었다.

병원을 정리하고 환자들을 수용할 수 있는 시설을 갖추는 데 불과 10일밖에 걸리지 않았다. 그만큼 나이팅게일은 열심이었다.

뜨거운 불이 마룻바닥의 파이프를 통해 흐르고 부엌으로부터 음식을 위로 나를 수 있는 장비들도 갖추었다.

환자들이 마룻바닥에 앉아 간호사를 부를 수 있도록 벨도 낮은 위치에 설치했다.

나이팅게일이 일을 처리해 나가는 것을 보고 병원 관계자들은 당황하였다. 그들이 기대했던 것과는 거리가 멀었기 때문이다. 그러나 나이팅게일은 자신의 계획대로 계속 밀고 나갔다.

병원 관계자들은 나이팅게일을 선택한 것이 현명한 일이었는지 잘못된 일이었는지 고민하기 시작했다.

그러나 나이팅게일은 차분히 설득하여 그들의 생각을 바꾸어 놓았다.

가정의 구속에서 해방된 나이팅게일은 상냥하고 친절한 여인으로 변하고 있었다. 또 병원 업무의 발전에 대해 매우 낙관적으로 생각했다. 그녀는 벨이 제대로 작동하고 있는지, 또 얼마나 많은 석탄이 필요한지 등을 점검하고 조사하느라 잠시도 쉴 틈이 없었다.

병원 구석구석 그녀의 손길이 닿지 않는 곳이 없을 정도였다.

정상을 향해

나이팅게일은 병원의 재정이 어떻게 돌아가는지 알아보기 위해 재정 담당자에게 서류를 보여 줄 것을 요구했지만 번번이 거절당했다. 그러나 나이팅게일은 자신의 생각을 강력히 주장하여 결국 알아 내기도 했다.

쥐들이 파먹어 버린 침대 시트나 더럽고 고약한 냄새가 나는 의자, 그리고 썩어 가는 베개 등 하찮은 것들도 그녀는 관심을 가지고 보았다. 낡은 커튼으로 침대에 까는 천을 만들기도 하고 빗자루나 칫솔 등을 구입하기도 했다.

병원이 하루하루 개선되어 가자 관계자들은 서서히 동조하기 시작했고, 나이팅게일을 비난했던 사람들은 부끄러워 스스로 병원을 떠나기도 했다. 이제 그녀에겐 훌륭한 간호 교육을 받을 수 있는 여자를 찾는 것이 문제였다. 그녀는 능력 있고 책임감 있게 병원을 잘 관리할 수 있는 사람들을 채용해 나갔다.

나이팅게일이 하는 일은 무척 힘들고 고된 일이었다.

때때로 그녀를 시기하는 사람들 때문에 원치 않는 결정도 내려야 했지만 그래도 나이팅게일의

1854년 콜레라가 발생하여 런던의 빈민가를 휩쓸었다. 플로렌스 나이팅게일은 공포에 질려 있는 불쌍한 사람들을 치료해 주었다. 그들은 죽을 때 나이팅게일의 가슴에 안겨 죽어 갔다. 수십 년 후 그녀는 빈민가의 위생 상태를 향상시켜 콜레라의 두려움에서 벗어나게 했다.

하루하루는 무척 행복하기만 했다.

발이 얼어붙은 환자를 발견하면 두 손으로 문질러 주고, 실의에 빠진 사람들을 위로하고 도와 주었다.

또 자신의 돈으로 환자를 바닷가로 요양을 보내기도 했다. 이렇듯 친절한 그녀였지만 한편으로는 냉정함도 지니고 있었다.

이것은 집에서 어머니, 언니와 함께 지낼 당시 나약하기만 했던 자신에 대한 후회에서 비롯된 것이다.

우유 부단한 성격은 병원을 능률적으로 운영하는 데 맞지 않았다. 그래서 병원의 발전을 위해 마음을 굳게 먹을 필요가 있었던 것이다.

짧은 기간 동안에 나이팅게일은 자기 분야에서 전문가로서의 자리를 굳혔다.

그녀는 영국 병원의 잘못된 운영 방식이나 모순점들을 조사하고 정리해서 개선안을 내놓는 등 열심히 일했다.

그녀는 가정을 떠나 보람된 생활을 하고 있었다. 나이팅게일은 이제 더 이상 줄에 매달려 춤추는

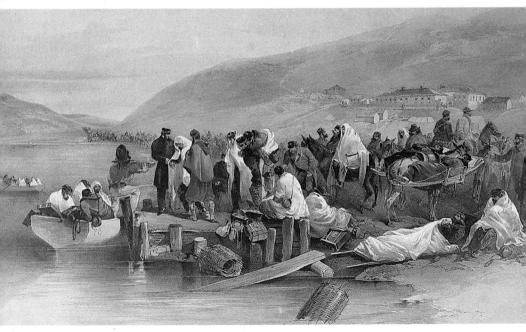

꼭두각시 인형이 아니었다. 그녀에게는 할 일이 있었고, 벌써 하고 있었다.

1854년 카이제르스베르트 병원의 방침을 따라 농부의 딸들을 간호사로 육성하기 위해 모집했다. 나이팅게일은 이들을 남자와 똑같이 취급하며 일해 나갔다.

크림 전쟁

영국 국민들은 크림에서 영국군이 승리하고 있다는 신문 기사를 읽었다. 그 당시 영국군은 세바스토폴에서 동맹국인 터키, 프랑스와 힘을 합해 러시아와 싸우고 있었다.

나이팅게일도 크림의 세바스토폴에서 영국군이 승리했다는 기사를 읽었다. 그녀는 러시아 군과의 싸움이 아닌 질병과 파괴, 불결과 추위와 싸우기 위해 자신이 그 전쟁에 참전하게 될 것이라는 사실을 모르고 있었다.

나이팅게일의 풍부한 경험과 지식, 용기, 그리고 결단력이 몇 년 후 큰일을 해낼 것임을 아직은 아무도 몰랐다. 또 나이팅게일에 의해 간호사에 대한 일반 국민들의 생각이 바뀌게 될 줄도 아무도 상상하지 못했다.

모든 전쟁이 그렇듯이 병사들은 부상과 처참한 죽음을 당해야 했다. 그로 인해 모든 병원에는 환자들로 가득 차게 되었다.

플로렌스 나이팅게일은 주목받는 인물로 떠오르기 시작했다. 크림 전쟁에서 부상당한 병사를 돌봐 주던 그녀는 '광명의 천사'로 역사에 길이 기록된 것이다.

영국 군대는 패배를 모르는 세계 최강의 부대였다. 1854년 당시에도 영국 국민들은 자기 나라 군대를 그렇게 믿고 있었다.

크림 반도로 가기 위해 빛나는 제복을 입고 휘날리는 깃발과 군악대 사이를 지나 함선으로 오르는 군인들의 모습은 실로 위대해 보였다. 그러나 이들이 적이 아닌 질병과 추위로 패배할 운명이란 것을 아는 사람은 아무도 없었다.

그 해 6월 영국 군대는 포위되어 있는 터키를

여인들이 크림 전쟁터로 떠나는 군인들에게 작별 인사를 하고 있다. 군인들은 자신감에 차 있었으나 첫 전투가 벌어지기도 전에 질병에 걸려 1천여 명이 죽었다.

영국은 크림의 첫 전투에서 비참한 경험을 했으며 인케르만 전투에서도 2천 명의 병사가 죽었다. 부상병들은 말할 수 없을 정도의 고통을 참아야 했다. 부상병들은 해안으로 옮겨진 후 흑해 남쪽 연안의 병원으로 향하는 배에 올랐다. 그들은 병원에 닿을 때까지 살아 있었다 해도 상처가 너무 깊어 결국 죽어야 할 운명이었다.

25

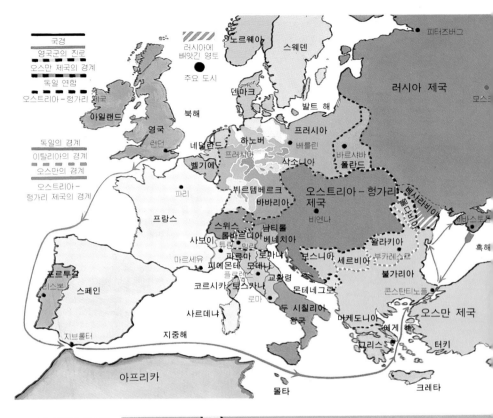

그림 안쪽에 위치한 세바스토폴을 향해 영국 함대가 진격한 길이다. 프랑스와 터키, 그리고 영국은 러시아에 대항하여 동맹을 맺었다.

주요한 전투는 주로 흑해 북쪽에 위치한 발라클라바, 인케르만, 그리고 세바스트폴에서 벌어졌다. 부상병들은 3백 마일이나 떨어진 스쿠타리의 병원으로 옮겨졌다.

26

구하기 위해 북쪽으로 향하였다. 그런데 도중에 휴식을 취하기 위해 진을 친 곳은 콜레라가 퍼져·있는 지역이었다.

콜레라는 금세 퍼졌고, 영국 군인들은 하루 종일 동료의 시체를 처리해야 했다. 막강을 자랑하던 부대는 어느 새 힘없고 쓸모없는 나약한 부대로 변하고 말았다.

그 당시 영국군은 세바스토폴의 중요한 목표 거점을 점령하기 위해 부대를 이동해야 했다. 그런데 군대의 장비들을 크림 반도로 실어 나를 만큼 함선이 충분하지 못했다.

그래서 군대의 지휘자들은 먼저 병사들만 태워 보내고 취사 도구와 의료 장비 등은 그대로 남겨 두도록 명령했다. 그런데 3일로 예정된 항해가 17일이나 걸렸다. 배에는 먹을 음식도, 마실 음료수도 바닥이 나 버렸다. 더욱이 콜레라는 계속 퍼져 나갔다.

그 해 9월 크림 반도에 상륙했을 때 병사들은 너무도 힘이 빠져 짐조차 들 수 없었다. 물이 공급되지 않았기 때문에 병사들은 해변에 고여 있는 웅덩이의 물을 그대로 마셔야 했다. 그들은 또 거기서 잠을 잤다.

이 때문에 병사들은 이질과 설사에 걸려 괴로워했다. 또한 군대의 사기도 크게 떨어졌다.

승리 뒤의 괴로움

병사들은 갈증과 질병의 두려움 속에서 크림에서의 첫번째 전투를 치러야 했다. 하지만 병사들은 알마를 가로질러 러시아 군을 세바스토폴에서 몰아내는 데 성공했다.

그러나 이 승리 뒤에 남아 있는 재난은 엄청난 것이었다. 의약품을 캠프에 남겨 두고 왔기 때문에 부상당한 병사를 제대로 치료할 수 없었다.

촛불이나 램프도 없어서 밤이면 달빛 아래서 수술을 해야 했다. 더욱이 환자들은 거름을 덮은 짚단 위에서 쉬어야 했다.

마침내 부상병들은 스쿠타리로 돌아가는 병원선에 의해 호송되었다. 250명 정도를 태울 수 있는

"군대 병원에는 문제가 많았다. 환자를 돌볼 사람도 의료 기구도 아무것도 없었다. 만약 전쟁이 도시 가까이에서 일어났다면 민간 병원들이 큰 도움이 되었을 것이다. 하지만 군대 병원은 수없이 밀려드는 환자들을 수용하기에 너무 좁고 거리도 멀었다. 더욱이 간호사도 없었고 병원일을 도와 주는 사람조차 모두 늙은 사람들뿐이었다."
엘리자베스 버턴의 《초기 빅토리아 시대의 병원》 중에서

CARRYING THE FROST-BITTEN TO BALACLAVA.

동상에 걸려 사기가 떨어진
군대는 발라클라바로 돌아왔다.
도중에 많은 병사가 병으로
죽었는데 어떤 병사는 그대로 말
위에 앉아 얼어죽기도 했다.
그들이 다시 본부로 돌아올
가능성은 희박했고 오염된 물을
마신 병사들은 계속 죽어 갔다.

배에 1,500명의 환자가 태워졌다. 그래서 병원선은
수라장이 되었다.

부상병들이 영국으로 돌아왔을 때 병원은 이미
환자들로 넘쳐흐르고 있었다. 크림 전쟁이 시작되
기 전에 이미 콜레라에 걸린 많은 병사들이 병원
으로 몰려들었기 때문이다.

야전 병원에는 주방이 없어 아무 음식도 제공되
지 않았다.

침대와 시트는 물론이고 열이 나는 환자에게 물
한 잔 줄 컵도 없었다. 야전 병원은 말로 표현할
수 없을 정도로 형편 없었다.

마실 물을 달라며 소리치는 환자와 맨바닥에 누
워 더러운 오물과 피로 얼룩진 담요를 덮고 신음
하는 부상병들로 가득 차 있었다.

전선에서 온 소식

전선으로부터 놀라운 소식이 날아들었다. 그것은
병사들의 비참한 생활 모습이었는데 영국 국민에
게는 대단히 충격적인 소식이었다. 영국 국민들은
그 때까지 병사들의 생활과 군대 조직이 그렇게

엉망인지 모르고 있었던 것이다.

어떤 조치가 취해져야만 했다. 프랑스는 환자를 돌볼 수 있는 의사와 간호사가 많았지만 영국은 그렇지 못했다. 누가 고통으로 소리치는 환자를 간호하고 엉망이 된 군대를 바로세울 수 있을 것인지 해답을 내리지 못하였다.

그 때 나이팅게일의 믿음직한 오랜 친구이며 육군 대신으로 있는 시드니 허버트가 해결 방안을 내어 놓았다. 그것은 바로 플로렌스 나이팅게일이었다. 그녀만이 이 문제를 해결할 수 있다고 허버트는 생각했다.

10월 15일 시드니 허버트는 나이팅게일에게 편지를 보내 가능한 한 빨리 간호사들을 모아 스쿠타리로 가 줄 것을 부탁했다.

나이팅게일은 이 임무를 신이 내린 것이라 믿었다. 그녀는 허버트의 부탁을 쾌히 받아들였다.

당시 놀랍게도 그녀의 가족들은 격려를 아끼지 않았다. 파세 언니는 다음과 같은 글로 나이팅게일의 힘을 북돋워 주었다.

'그 일은 플로렌스만이 해낼 수 있는 일로 위대하고 성스러운 임무이다.'

나이팅게일은 34세의 나이로 터키에 있는 영국 야전 병원의 간호 대장으로 임명되었다. 40명의 간호사들이 그녀와 함께 일하도록 결정되었지만 훌륭한 간호사를 뽑는 일은 그리 쉽지 않았다.

마침내 38명의 간호사를 선발하긴 했으나 그녀가 만족할 만큼의 훌륭한 수준은 아니었다. 로마 카톨릭 협회에서 파견된 5명의 간호사들이 가장 실력이 좋았다.

1854년 10월 21일 나이팅게일과 간호사 일행은 스쿠타리를 향해 출발했다.

스쿠타리에 도착하다

1854년 11월 5일 나이팅게일 일행은 스쿠타리의 야전 병원에 도착했다.

어떤 일인가가 닥칠 것이라고 예상은 했었지만 그녀의 눈에 들어온 병원의 모습은 이루 말할 수 없었다. 긴 복도를 따라 더러운 병실들이 즐비했고

2만여 명의 부상자가 도착하기 전의 스쿠타리 야전 병원. 이 병원에는 4마일이나 되는 긴 복도가 이어져 있었는데 이 복도를 따라 지저분한 침대가 놓여 있었다. 병실에 오물이 넘쳐흘렀으며 지붕이 새는데다 쥐들도 설쳐 대는 등 한마디로 이 곳은 병원이 아니었다. 나이팅게일이 38명의 간호사와 함께 도착했지만 12명만이 살아 돌아갔을 정도로 환경이 엉망이었다.

〈점호 나팔〉이란 제목의 이
그림은 발라클라바 전투의
생존자의 모습을 나타낸 것이다.

부상병들이 서로 도와 가며
전선에서 후퇴하는 모습이다.
이제 그들의 목숨은 병원에 달려
있었다.

마당은 진흙으로 질퍽질퍽했다.

곳곳에 쓰레기와 오물이 깔려 있었으며 부상병들은 맨발로 걸어다녔다. 벌레들이 우글거리는 병원은 그야말로 전염병의 온상이었다.

나이팅게일은 조심스럽게 걸음을 옮겨야 했다. 더욱이 모든 의료진들은 군대 당국의 엄격한 통제를 받아야 했는데 만약 잘못이 생기면 집으로 쫓겨나기 일쑤였다.

한마디로 병원은 엉망이었다. 필요한 것을 얻으려면 두 명의 의사가 서명한 신청서와 허가서가 있어야 했다. 그러나 조금이라도 문제가 생기면 큰 벌을 받아야 했으므로 의사들은 서명하기를 꺼렸다. 그래서 창고에는 귀중한 식량과 옷들이 썩어가고 있었다.

의사들은 군인을 '인간 쓰레기', '잔인한 짐승', '불량배' 등으로 불렀다. 그것은 잘못된 행동이라고 충고하는 나이팅게일에게 의사들은 오히려 심하게 경고를 했다.

영국 국민은 신문 기사를 통해 고통받는 병사가 많음을 알고 침대 시트나 반창고, 음식 등을 보내 주었다. 문제는 무책임한 의료 관계자들이 나누어 주지 않은 것이다. 그러나 그녀는 절망에 빠진 환자들을 위로하고 비품을 제때에 공급했다.

의사들은 책상에 앉아 서류를 뒤적이는 일에만 관심이 있어 나이팅게일과 사이가 좋지 않은 것은 당연한 일이었다. 심지어 터키의 영국 대사관의 레드클리프 캐닝도 호화스런 생활을 하며 고통을 참고 지내는 병사들을 무시했다.

규칙과 규정

야전 병원에는 아무것도 없었다. 의료 기구는 물론 비품마저 부족했다. 촛불이나 램프도 없었기 때문에 밤이면 달빛 아래에서 수술을 하거나 편지를 써야 했다.

의사들은 나이팅게일을 무시했고 곧잘 화를 냈다. 나이팅게일은 어떤 일을 하기 전에 먼저 의사들의 믿음을 얻어야 한다고 생각하고 간호사들에게 세심한 교육을 시켰다. 의사들이 정식으로 도움을 청해 올 때까지 고통으로 울부짖는 환자를 제대로 돌볼 수 없었다.

나이팅게일은 병원 규칙에 따라 행동해야 했다. 그녀에게 주어진 일은 주방에서 음식을 만드는 것이었다. 그러나 냄비 하나 없는 주방에서 일한다는 것은 매우 힘든 일이었다. 하지만 나이팅게일은 음식을 만들 수 있는 장비를 구해 왔고 포도주와 쇠고기 음식도 만들었다.

항상 엄격한 병원 규칙에 따라 행동했기 때문에 누구도 그녀의 행동을 탓할 수 없었다. 비록 의사의 허락 없이는 마음대로 필요한 것을 구할 수 없었지만 나이팅게일의 노력에 의해 환자들은 영양가 있는 음식을 먹을 수 있게 되었다.

11월 9일 스쿠타리의 거리는 부상을 당하여 고통으로 울부짖는 환자들로 가득 메워졌다. 이제 의사와 병원 관계자들은 나이팅게일을 인정하지 않을 수 없었다. 결국 그들은 나이팅게일에게 환자를 간호해 달라고 부탁하였다.

그 다음날 발라클라바 전투에서 심하게 다친 병사 한 사람이 치료를 받기 위해 도착했다. 나이팅게일은 언제라도 환자를 치료할 수 있도록 간호사들에게 준비를 시켰으므로 병사는 곧바로 치료를 받을 수 있었다.

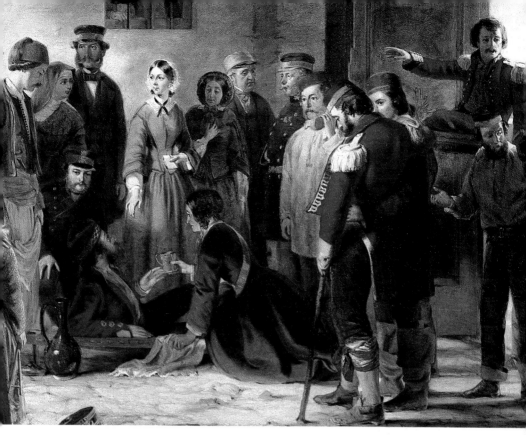

나이팅게일이 환자 한 명 한
명에게 관심을 갖고 돌보아 주는
것을 나타낸 그림이다. 그녀는
치료를 끝낸 후 부상당한 병사를
깨끗이 씻어 주고 새 옷을 입혀
주었으며 영양가 있는 음식을
제공하려고 노력했다.

많은 병사들이 불가리아의
바르나에 상륙했을 때 극심한
콜레라가 퍼졌다. 이로 인해 1천
명의 환자가 스쿠타리로 되돌려
보내졌다.

발라클라바 전투 장면으로 크림 전쟁 동안 영국과 프랑스는 82,000명의 병사를 잃었다. 그들은 적의 공격보다 질병과 혹독한 추위를 이기지 못해 죽어 갔다.

힘겨운 작업

영국 군대는 발라클라바 전투의 패배로 심한 고통을 받고 있었다. 진지는 얼마 있지 않아 시체로 가득 덮였다. 더러운 오물이 넘쳐흘렀으며, 콜레라가 번져 말로 표현할 수조차 없었다.

잇따라 인케르만 전투가 일어났다. 이 전투에서 영국군이 비록 승리는 했지만 부상자의 수는 계속 늘어 갈 뿐이었다.

겨울이 되자 병사들은 불을 지피기 위해 말라 죽은 나무뿌리를 찾느라고 상처투성이인 손으로 얼어붙은 땅을 파야 했다. 따뜻한 음식이라곤 구경조차 하기 힘들었고, 잠잘 곳은 얼어붙은 진흙땅뿐이었다.

질병으로 얼룩진 군대 막사는 마치 이 세상에 존재하는 지옥 같았다. 스쿠타리는 이미 홍수처럼 밀려드는 부상병들로 가득 넘쳤다.

나이팅게일은 의사의 말을 따라 하루 24시간 꼬빡 환자들을 돌보았지만 계속해서 찾아드는 환자들을 감당할 수가 없었다. 병원은 환자들로 가득 차 비집고 들어갈 틈도 없을 정도였다. 나이팅게일은 1천 명의 병사들이 설사병에 걸려 괴로워하고 있다고 짐작했다.

병원에는 단지 12개의 변기통과 오물들을 다시 한 곳에 모을 수 있는 큰 술통이 하나 있을 뿐이었다. 그런데 병원에서 일하는 사람들은 오물 비우는 일을 꺼렸다. 그 때문에 때때로 24시간 계속 변기통과 술통에 담겨 있는 오물로 숨을 쉬기조차 어려운 형편이었다.

엎친 데 덮친 격으로 11월 14일에는 거센 폭풍이 불었다. 폭풍은 병사들을 덮어 주기 위한 담요와 중요한 비품들을 쓸어 가 버렸다.

병원의 책임자가 되다

11월 30일경 병원 행정은 말할 수 없을 정도로 엉망이 되었다.

이제 의사들은 나이팅게일의 존재를 절대적으로 인정해야 했다. 왜냐하면 그녀는 병원에서 필요로

하는 물자를 제때에 구할 수 있는 능력을 갖추고 있었기 때문이다.

그녀는 조용히 병원 행정의 책임을 맡았다. 이제 어느 누구도 자기에게 주어진 임무를 성실히 하지 않을 수 없었다. 화장실 변기와 오물통은 매일 깨끗이 청소되었다.

할레이 1번가에서 했던 것처럼 나이팅게일은 작은 일 하나하나에도 깊은 관심을 기울였다. 필요한 물품을 조사해서 물품 명세서를 만들고 구입해 나갔다. 쟁반, 탁자, 벽시계, 수건, 비누, 접시, 숟가락 등 사소한 것까지 일일이 신경을 썼다.

12월 초순 로드 라글란 육군 원수가 500명의 환자를 병원으로 보냈다는 통지를 해 왔다. 그런데 병원에는 이들을 수용할 만한 시설이 없었다. 나이팅게일은 병원 옆에 있는, 불에 타 재가 된 건물을 수선하기로 결정하고 터키 여자들을 고용해 수선에 온힘을 기울였다.

사실 이러한 일은 군대 자체 내에서 해결해야 하는 문제였다. 하지만 이제는 모든 것이 바뀌었다. 병원에 관한 모든 일이 나이팅게일을 통해 이루어지고 있었던 것이다.

그래서 군대 지휘관들은 화가 났지만 어쩔 수 없었다. 나이팅게일은 이에 신경쓰지 않고 꾸준히 자기 방식대로 계속해 나갔다.

스쿠타리가 정리되자 나이팅게일은 전쟁터에 있는 의료 부서를 돌아보았다. 그녀는 늘 말을 타고 다녔는데 그로 인해 심한 병에 걸리기도 했다.

크나큰 재앙

1855년 1월 부상자들의 상태가 자꾸만 악화되어 갔다. 환자의 수는 급격히 늘어 그 해 1월 병원에 입원한 환자의 수는 1,200명에 달했다.

나이팅게일은 불가능과 싸우고 있었다. 그녀는 자기의 사명을 가슴 깊이 새기고 병원의 능률적인 개선을 위해 주의 깊게 계획을 세웠다.

그러나 그녀의 계획은 뜻대로 되지 않았다. 나이팅게일의 가장 큰 걱정은 병원의 개선에도 불구하고 야전 병원에서 죽어 가는 병사의 수가 자꾸만 늘어 간다는 사실이었다.

세바스토폴 고지에 세워져 있는 연대 병원은 나이팅게일의 야전 병원에 비하면 훨씬 나쁜 상태였

플로렌스 나이팅게일은 병사들 사이에서 '광명의 천사'로 불리었다. 나이팅게일이 헌신적으로 돌보았기 때문에 환자들은 진심으로 그녀를 존경했다. 그들은 전쟁중에 겪었던 고통과 나이팅게일의 친절과 상냥함을 평생 잊지 못하였다.

다. 그런데 죽어 가는 환자의 수는 야전 병원이 더욱 많았다.

더욱이 전염병이 발생해 3주일 동안에 4명의 의사와 3명의 간호사, 그리고 수백 명의 병사들이 야전 병원에서 죽었다.

나이팅게일은 참으로 암담했다. 그러나 뾰족한 수가 없었다. 그저 죽어 가는 사람들을 보며 가슴 아파할 뿐이었다.

이러한 끔찍한 소식이 영국 신문에 실리자 국민들은 왜 크림에서 이런 비극이 일어났는지 조사해 볼 것을 요구하기 시작했다. 국민들의 이러한 여론을 못 이겨 정부는 1855년 2월에 크림으로 보건 위원회를 파견했다.

야전 병원의 개혁

보건 위원회는 야전 병원을 구석구석 조사한 후 사망률이 높아지는 것이 당연하다고 판단했다. 병원 건물이 썩어 가는 하수도 위에 세워져 있었고 병원 전체가 질병과 불결로 흠뻑 젖어 있었기 때문이다. 수도물은 오염되어 있었고 사람들은 계속해서 죽어 갔다.

나이팅게일은 병원을 새로이 단장하기 시작했다. 그리하여 2주일 만에 556개의 수레에 해당하는 양의 쓰레기가 처리되었다.

병원의 상태는 점점 좋아지고 있었다. 그렇지만 다른 곳에서는 아직도 비참한 일들이 계속해서 일어나고 있었다.

한 예로 수백 명의 부상병들이 여객선을 타고 이 곳으로 오는 데 2주일이나 걸렸다. 2주일 동안 병사들은 추운 날씨에 몸을 감쌀 담요 한 장 없이 갑판 위에 누워 지내야 했다. 그로 인해 치료도 못 받고 죽는 병사까지 생겼다.

이 책임으로 의사 로슨이 뒤에 징계를 받게 되는데 그가 야전 병원의 의료 책임자로 임명되어 왔다. 그는 사사 건건 나이팅게일의 일을 방해했으며 전쟁이 끝난 뒤에도 나이팅게일의 병원 개혁 사업을 반대했다.

광명의 천사

1855년 봄 나이팅게일은 기진 맥진했다. 때때로 하루 8시간 이상 무릎을 꿇고 앉아 환자의 상처를 치료하기도 했다.

나이팅게일이 이렇듯 쉬지 않고 일할 수 있었던 것은 그녀가 환자들의 희망과 용기를 가슴에 품고 있었기 때문이다.

환자들은 어떤 불평도 하지 않았고 괴로움과 두려움, 고향을 향한 그리움 등을 그녀 앞에서는 절대 나타내지 않았다.

환자들은 항상 그녀의 친절함과 인내심, 심지어 농담까지도 기억했다.

그녀는 환자가 수술을 받을 때 옆에서 손을 잡아 주었으며 함께 병실을 걸으며 이야기를 나누기도 했다. 이렇듯 나이팅게일은 항상 환자에게 희망을 심어 주었다.

그녀는 밤마다 등불을 들고 병실을 돌며 환자들

"그녀가 환자들의 곁을 지나가다가 한 환자에게 '날 위해 어떤 위로를 해 주시겠습니까?'라고 물었다. 그리고는 조용히 웃었다. 그러나 우리는 단지 제자리에서 쉬거나 할 뿐 아무것도 해 줄 수 없는 존재였다. 우리는 자리에 누운 채 우리의 곁을 지나가는 그녀의 그림자에 키스를 하고 안도의 한숨을 쉬었다."

야전 병원의 한 부상병

"누구도 상상할 수 없는 전쟁의 공포! 그러나 부상을 당해 피를 흘리거나 열병에 걸려 신음하는 것이 공포가 아니었다. 술에 취해 난동을 부리거나 서로 시기하여 자신만 생각하는 고위층 사람들이 공포의 대상이었다."

플로렌스 나이팅게일

살아 남은 군인들이 집으로
돌아가기 위해 배를 타는
모습이다. 휘날리는 깃발과
행진가 소리에 그들은 승리를
기뻐했다. 그러나 그들은 질병과
군대의 행정에는 패했다.

을 일일이 보살폈다. 환자들은 하루라도 나이팅게
일의 등불을 보지 않고는 잠을 못 이룰 정도였다.
병사들은 그녀를 '광명의 천사'라고 불렀다. 한 병
사는 그녀가 지나갈 때 벽에 비친 그녀의 그림자
에 입을 맞추었다고 한다.

나이팅게일 또한 군인에 대한 존경심을 갖고 있
었으며 유럽 인들의 군인에 대한 생각을 바꾸어
놓기도 했다. 또한 그녀는 훗날 이들의 지위 개선
을 위해서도 힘썼다.

크림 열병

나이팅게일은 손에 잡히는 일이면 무슨 일이든
가리지 않고 열심히 일했다. 야전 병원의 상태가
어느 정도 좋아지자 이제는 크림 병원으로 가야
할 때라고 생각했다.

그러나 마침내 그녀는 대가를 치러야 했다. 발라
클라바의 환경을 조사하던 나이팅게일은 그만 쓰
러지고 말았던 것이다. 크림 열병에 걸려 죽을 고
비도 몇 차례 넘겼다.

그러나 나이팅게일은 쉬지 않고 일했다. 심지어 헛소리까지 하면서도 목록을 만들고 주문서와 추천장을 썼다.

몸이 어느 정도 회복되어 병실에서 나왔을 때 사람들은 창백하고 야윈 그녀의 모습을 보고 놀라움을 금치 못했다. 그녀가 이제는 일을 못 할 것이라고 생각했을 정도였다.

한편 그녀의 집안에서는 나이팅게일을 도와 줄 사람을 보내기로 했다. 마이 이모가 경험 많은 비품 관리인 한 명을 데리고 1855년 9월 16일 그 곳에 도착했다. 허약하고 창백해진 나이팅게일을 본 마이 이모는 근심이 앞섰다.

마이 이모는 당시 나이팅게일을 보고 느낀 감정을 다음과 같이 썼다.

'플로렌스는 가장 평온한 마음을 가졌고, 노여움과 초조함을 보이지 않았다. 음식이나 기후 조건 등 외부적인 환경은 결코 그녀의 평온한 상태를 깨뜨리지 못했다.'

나이팅게일 기금

영국에서 나이팅게일의 존재는 크림의 희망이었다. 거리는 온통 나이팅게일을 소재로 한 기념품들로 넘쳐흘렀고 곳곳에 그녀의 상반신을 새긴 동상이 세워졌다.

심지어 경주마들도 그녀의 이름을 따서 붙여졌다. 그러나 그녀는 우쭐거리지 않았다. 그녀는 오직 아직도 해야 할 일이 많이 남아 있다고 생각할 뿐이었다.

많은 돈이 그녀에게 보내졌다. 나이팅게일은 그 돈으로 '나이팅게일 기금'을 만들어 간호사를 육성할 학교를 설립하기로 결정했다. 병사들도 월급을 아껴 기금으로 냈다.

나이팅게일의 어머니 파니는 편지에 그녀가 얼마나 자랑스러운지 모른다고 썼다. 어머니의 편지를 읽은 나이팅게일은 매우 기뻤다. 그렇게도 자신의 일에 반대했던 어머니로부터 인정을 받았다는 데 대해 감격하여 다음과 같은 답장을 썼다.

'저에 대한 명성은 제가 하는 일에 큰 힘이 되지

"두 사람은 용감하게 크림 전쟁에서 돌아왔다. 그들은 군인과 간호사였다. 그들이 돌아올 때 나이팅게일의 노력에 의해 그들의 직업에 대한 국민의 생각은 바뀌고 있었다."
세실 우드햄 스미스의
《플로렌스 나이팅게일》
중에서

나이팅게일을 찬양하는 분위기가
온 나라에 퍼졌고 그녀의 모습을
새긴 기념품들이 넘쳐흘렀다.

는 않습니다. 그러나 어머니가 기뻐하신다면 그
것은 제게 큰 힘이 됩니다.'

모함을 받다

12월 의료진의 책임자인 의사 홀은 한 장의 보
고서를 받았다. 나이팅게일은 반항적이며 그녀의
간호사들도 정직하지 못하고 사치가 심하며 무능
하다는 비난의 보고서였다.

물품 조달 책임을 맡고 있는 사람이 작성한 이
보고서는 거짓말투성이였다. 이로 인해 나이팅게일
은 큰 충격을 받았다.

터무니없는 보고서와 비난이 나이팅게일의 명성
을 시기하는 사람과 정부 사이에 오고 갔다.

1856년 초순 크림에 있는 영국군 물자 보급 위
원회는 그 보고서를 국회에 제출했으며, 믿을 수
없게도 의사 홀은 상을 받았다.

나이팅게일은 어이가 없었다. 그녀는 당시의 심
정을 다음과 같이 적었다.

'난 자꾸 화가 난다. 창고 속에는 따뜻한 의복들
이 가득 차 있는데도 군복과 더러운 담요 한 장
을 제외하고는 덮을 만한 천 한 조각 없이 겨울
을 보내는 병사들이 불쌍하다. 또 뼈만 앙상하게
남은 병사들의 모습을 보노라면 가슴이 매우 아
프다. 자기밖에 신경쓰지 않는 사람들이 잘 되어
가는 것을 어떻게 볼 수 있는가! 참으로 답답한
노릇이다.'

1856년 3월 16일 정부가 그 보고서에 대한 옳고
그름을 밝혔다.

정부는 또 나이팅게일을 영국군 병원 여성 간호
사 총책임자로 임명한다는 공식 문서를 발표하였다.
진실이 거짓을 이긴 것이었다.

그녀를 시기하던 사람들은 이제 더 이상 아무
말도 할 수 없었다.

영국으로 돌아오다

1856년 4월 29일 평화가 선언되고 얼마 있지 않
아 전쟁은 막을 내렸다. 그러나 아직도 질병의 위

협은 남아 있었다. 그래서 다시 콜레라가 기승을 부리기 전에 병사들을 고향으로 보내는 것이 급선무였다.

7월 16일 마지막 환자가 야전 병원을 떠나자 나이팅게일의 일도 끝이 났다.

7월 28일 나이팅게일과 마이 이모는 프랑스로 향하고 있었다. 그녀는 자신의 귀국을 축하해 주는 환영회를 피하기 위해 마이 이모를 프랑스에 남기고 혼자 몰래 영국으로 돌아왔다.

영국에 도착한 다음날 아침, 나이팅게일은 베르몬드세이 수녀원에서 기도를 하며 마음의 평화를 찾았다.

그리고 오후에 가족들이 기다리고 있는 집으로 발길을 돌렸다.

비록 전쟁은 끝났지만 나이팅게일의 가슴 속에는 지워지지 않는 아픔이 숨겨져 있었다. 그녀는 마음의 아픔을 일기장에 다음과 같이 기록했다.

'오, 나의 불쌍한 사람들이여. 당신을 크림 묘지에 남기고 나만 돌아왔구려.'

나이팅게일의 진정한 업적은 빅토리아 시대의 낭만적 감상에 의해 제대로 빛을 보지 못했다. 아름다운 장미를 한아름 안고 달빛 비친 병실을 지키는 모습이 숭고해 보인다.
무능력한 관리자들은 크림 전쟁에서 간호사를 무시하고 양보를 할 줄 몰랐다.
나이팅게일은 이들의 완고한 태도를 결코 잊지 않았다.

NOTES ON NVRSING

빅토리아 여왕은 크림 전쟁에서
거둔 나이팅게일의 업적을
칭찬했다. 그녀는 '신의 은총을
받은 사람은 자비롭다.'라는
글씨가 새겨진 브로치를
나이팅게일에게 수여했다.
또 군대 의료 개혁을 위한
나이팅게일의 활동에 많은
도움을 주었다.

그녀는 전사한 많은 병사들을 뒤로 한 채 홀로
돌아온 것이 마음에 걸렸던 것이다.

영웅으로 떠오르다

크림에서 헌신적으로 한때를 보낸 나이팅게일은
몹시 지쳐 있었다. 전쟁이 끝남과 동시에 그녀는
자신의 임무도 끝났다고 생각하고 휴식을 취하며
건강을 돌볼 수 있을 것이라 믿었다. 그러나 그녀
의 삶에 있어 가장 중요한 사업이 새롭게 시작되
고 있었다.

전쟁이 끝나고 한 달 동안 그녀는 축하 편지와
청혼, 그리고 몸둘 바 모를 칭찬에 파묻혀 지냈다.
그녀는 금세 세계적인 영웅으로 떠오르기 시작했
던 것이다.

그러나 그녀는 사람들이 자신을 영웅으로 떠받
드는 것이 싫었으며 유명한 사람이라고 자신을 칭
찬하는 사람에게 답장하기도 싫었다. 그래서 공개
행사에 참석해 달라는 제안도 거절했다. 시간이 어
느 정도 흐르자 국민들도 그녀의 마음을 아는지
조용해졌다.

빅토리아 여왕 시대의 사람들은 '광명의 천사'
플로렌스 나이팅게일을 다정 다감한 여인으로 부
각시켰다. 환자를 편하게 하기 위해 침대를 세워
주고 죽어 가는 사람에게 위로와 희망을 준 친절
하고 상냥한 마음씨의 여인으로 표현했다.

그러나 그것은 나이팅게일의 한쪽 면만을 표현
한 것이었다. 그녀는 강한 의지와 엄청난 능력을
갖춘 여인이었던 것이다.

크림 전쟁은 나이팅게일에게 큰 뜻을 품게 했다.
간호사들은 훌륭하게 교육받아야 하고 모범적인
행동과 태도를 보여 간호사란 직업을 남들로부터
존경받는 직업으로 바꾸어 놓아야 한다는 것이 나
이팅게일의 생각이었다.

또 다시는 불결한 병원 환경 때문에 환자들이
죽는 일이 없도록 손을 써야 한다고 믿어 왔다. 나
이팅게일은 유럽의 모든 병원을 돌아다니며 무엇
이 문제이며 잘못된 점을 개선하기 위해서는 어떻
게 해야 하는지 공부해 왔던 것이다.

이러한 노력을 토대로 나이팅게일은 앞으로 리버풀에 있는 구빈원의 행정 문제로부터 인도 전 지역의 생활 환경에 대한 문제들을 해결하게 될 것이다.

그러나 우선 그녀는 영국 군대를 변화시키려 했다. 스쿠타리와 발라클라바에서의 비참한 기억이 그녀를 괴롭혔지만 군대 의료 당국은 그녀에게 냉담한 반응을 보였다.

크림에서 혼란과 비참함을 일으켰던 병원 제도와 군대 제도가 아직도 계속되고 있었다. 나이팅게일은 이를 모른 척할 수가 없었다.

빅토리아 여왕의 도움

나이팅게일에게 드디어 기회가 왔다. 빅토리아 여왕과 앨버트 공(公)이 나이팅게일의 이야기를

남자들로만 구성된 위원회는 1857년에 군대 의료의 실태를 연구하기 위해 세워졌다. 몇몇 구성원들은 나이팅게일을 찬양했을 뿐 아니라 그녀에게서 직접 지시를 받기도 했다. 그녀의 군대에 대한 비판은 무자비할 정도로 엄격했다.

술에 취한 병사의 모습을
그린 만화. 이들은 게으른데다
교육도 제대로 받지 못한
사람들이었다. 나이팅게일은
이들을 다른 사람과 동등하게
대해 주었다.

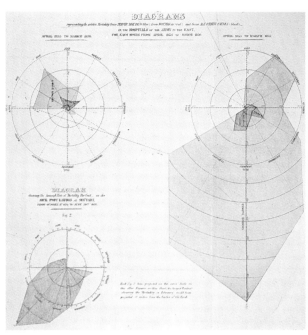

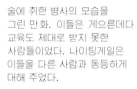

나이팅게일이 연구를 통해 결정
내리는 과정을 나타낸 도표.
크림 전쟁에서 죽은 군인들,
그리고 질병과 불결한 위생
상태로 인해 죽은 7명의 병사를
도표에 나타내고 있다.
나이팅게일은 영양가 있는 음식,
청결, 환기 장치 등이 질병과
죽음을 예방할 수 있다고 했다.
그녀는 또 이것은 얼마나 많은
노력을 기울이느냐에 따라
좌우된다고 강조했다.

직접 들고 싶어했던 것이다.

그래서 나이팅게일은 군대의 개혁이 왜 필요한
지 뒷받침해 줄 수 있는 증거들을 모았다. 하루에
12시간이 넘도록 막사와 병원의 상태를 조사했다.
그리고 집에 돌아와서는 조사한 내용을 하나하나
정리하고 기록해 나갔다.

크림에서 돌아온 지 2개월이 지난 9월에 그녀는
여왕과 앨버트 공을 만나러 갔다. 그들은 나이팅게
일을 기쁘게 맞이하였고, 나이팅게일의 모든 이야
기를 주의 깊게 들었다. 여왕은 나이팅게일을 국방
성에서 일하게 하고 싶다는 내용의 편지를 영국
총사령관에게 보냈다.

아직은 시작에 불과했다. 제3자의 입장에서 군
대 내의 기본적인 문제를 해결할 수는 없었기 때
문에 국무 총리를 설득해야 했다. 정치가가 아니면
군대의 개혁은 힘들다고 판단한 나이팅게일은 그
당시 영향력 있는 지도자들과 손을 잡고 일해 나
가려고 생각한 것이다.

시드니 허버트와 4명의 정상급 인물들은 나이팅
게일이 큰 뜻을 이룰 수 있게 도와 주었고, 병원

환경 개선에 있어서 그녀를 전문가로 존중해 주었다. 그들은 공손하고 예의바른 나이팅게일의 태도를 무척 좋아했다.

그녀는 열심히 뛰어다녔다. 병원을 방문하여 관계자를 설득하고 보고서를 작성해 나갔다. 이로 인해 나이팅게일은 몹시 수척해졌다. 그러나 그녀는 자신의 건강을 돌볼 겨를이 없었다.

군대 개혁

1857년 5월 드디어 군대 병원에 대한 대대적인 조사를 위해 위원회가 열렸다. 나이팅게일은 자기가 원해서라기보다는 그 일이 너무나 중요했기 때문에 온갖 정성을 다 쏟았다. 그녀는 바뀌었다. 어느 때보다도 그녀는 훌륭하고 지적이며 조직적인 논리로 자신의 주장을 밝혀 나갔다. 나이팅게일은 능력의 한계를 시험하듯 열심이었다.

1857년 여름은 나이팅게일에게 있어 악몽과도 같았다. 다음 위원회에서 사람들에게 자신의 경험을 설명하고 자신의 생각이 맞다는 것을 증명해 보일 자료를 만드느라 눈코 뜰 새 없이 바빴다. 나이팅게일은 밤잠을 설치면서까지 보고서 작성에 열을 올렸다.

1천여 장의 보고서를 완성하는 데 6개월이 걸렸다. 그것은 믿을 수 없을 만큼 확실하고 세심하게 작성된 보고서였다.

〈보건과 영국군 병원 행정의 능률적 운영〉이라는 제목의 보고서는 크림에서 그녀가 경험하고 느낀 것을 기초로 한 것이었다.

플로렌스 나이팅게일은 기본적으로 치료보다 예방을 강조했는데 그 당시 그런 생각은 정치가와 의학 분야에서 일하는 사람에게는 혁신적이고도 꽤 까다로운 주장이었다. 그래서 그들은 나이팅게일과 그녀의 협력자들의 주장에 반대했다.

그래서 나이팅게일은 병사들이 기본적인 생활 환경의 악조건에 의해 죽어 가고 있음을 증명해야만 했다.

그녀는 병원과 막사를 다시 조사했다.

그녀는 습기 차고 지저분한 막사와 오염된 물이

흐르는 병원 환경을 제시했다. 군인들의 음식 상태
도 엉망이라고 주장했으며, 평화시 젊은 군인들의
사망률이 일반 국민보다 '2배나 높다는 것을 통계
를 통해 증명해 보였다. 비록 군대가 건강한 젊은
이로 구성되어 있지만 매년 1,500명의 군인이 질병
과 형편 없는 음식, 그리고 스스로의 태만 때문에
죽어 간다고 주장했다.

나이팅게일은 또 다음과 같이 주장했다.

"우리 군인들은 막사 생활을 통해 죽음을 재촉
하고 있습니다."

이 말은 그녀를 도와 주는 사람들의 표어가 되
다시피 했다. 국민들도 그녀를 지지한다는 내용의
편지를 보냈다. 개혁을 반대하는 사람들이 자꾸 시
간을 끌자 개혁을 원하는 사람들이 사방에서 일어
났다.

비록 반대자들에게 완벽한 승리를 거두지는 못
했지만 많은 변화들이 일어났다. 곧 이어 새로운
막사가 지어졌고 3년 후에는 군대의 사망률이 반
으로 줄어들었다.

위원회와의 일은 끝이 났지만 나이팅게일은 계

나이팅게일과 그녀의 간호사들.
그녀의 성공 비결 중 하나는
일에 완벽을 기하는 것이었다.
크림에서 엉성한 병원 운영으로
수많은 병사들이 죽어 간 것을
직접 보았기 때문에 아무리
하찮은 일이라도 소홀히 하지
않았던 것이다. 그녀는 수술실
문의 크기까지 알고 있을 정도로
모든 면에서 완벽을 기했다.
그녀는 또 간호사들과 새로운
소식이나 의료 자료에 대해
이야기를 나누면서도 늘 친절을
잃지 않았다.

속해서 군대 병원의 개혁을 위해 공부하고 실천할
계획이었다.

죽을 수 없다

8월 11일 그녀는 몹시 쇠약해졌다. 4년 동안 여러 사람과 함께 지내 왔기 때문에 이제는 혼자 있고 싶었다. 그러다가 그녀는 심한 병에 걸려서 자리에 눕고 말았다.

어떤 사람은 그녀가 사망했다는 기사를 쓰기도 했고, 한 신문사는 그녀가 언제 죽을지 몰라 그녀의 책을 출판할 준비를 서두르기까지 했다.

그러나 그녀에겐 아직 할 일이 많이 남아 있었다. 그녀는 죽을 수 없었다.

나이팅게일이 런던으로 돌아왔을 때 마이 이모가 찾아왔다. 마이 이모는 전에도 어려울 때면 함께 곁에 있어 주곤 했다. 나이팅게일은 마이 이모의 도움으로 해야 할 일을 언니와 어머니에게 넘겨 줄 수 있었다.

일반 병원 개혁

해리 베르니라는 신사는 나이팅게일을 마음에 두고 있었다. 그는 계속해서 나이팅게일을 방문했는데 1857년 여름 정식으로 결혼을 제안해 왔다. 말할 필요도 없이 나이팅게일은 결혼할 수 없는 입장을 설명했다.

그는 나이팅게일에 대한 사랑을 그녀의 언니인 파세에게 돌렸다. 1858년 두 사람은 약혼을 했고 곧 이어 결혼을 하였다.

베르니와 언니가 결혼한 후 얼마 안 있어 나이팅게일은 벌링턴 호텔의 별관으로 이사했다. 별관은 넓고 조용했다. 나이팅게일은 더 이상 친구를 만나지 않았고 파티나 연주회에도 참석하지 않았다. 마이 이모가 그녀의 건강을 돌보아 주었다. 아픈 몸에도 불구하고 나이팅게일은 전보다 더 열심히 일하였다.

국민들은 군대 병원을 개혁한 나이팅게일의 지식을 일반 병원을 위해서도 사용해 주길 원했다.

"북쪽으로 되돌아가던 간호사들은 기차 화물칸에서 점심 도시락을 발견했다. 또 병으로 시달리던 다른 간호사들도 '필요한 것이 있으면 내 돈으로 사세요.'라고 적혀 있는 나이팅게일의 메모지를 발견했다. 그 덕에 지쳐 기진 맥진한 간호사들은 침대에 누워 편히 지낼 수 있었다.
서로 차도 마시며 빵을 나누어 먹는 모임이 있었다. 초대받은 손님 중에 옷을 잘 차려 입은 젊은 여자가 있었다. 모임이 시작되기 바로 전에 그녀는 옷차림에 따라 빵의 크기가 달라진다는 말을 듣고 당장 집으로 가서 가장 오래 된 옷을 입고 나왔다. 그 날 그 여자는 36명의 동료들이 배불리 먹을 수 있는 빵을 가지고 왔다. 그녀는 바로 플로렌스 나이팅게일이었다."
엘스페스 헉슬리의
《플로렌스 나이팅게일》
중에서

오늘날 간호사들은 훌륭한 직업인으로 인정받을 뿐 아니라 널리 존경받는다. 나이팅게일이 살던 시대와는 큰 차이가 있다. 그녀는 현대 간호의 선구자로서 세계 각처로부터 칭송을 받았다.

일반 병원도 군대 병원처럼 엉망이었던 것이다.

1859년 그녀의 《병원에 관한 노트》라는 책이 출판되었다. 그 책은 왜 사람들이 병원에 가길 무서워하며 병원의 문제는 어떻게 개선될 수 있는가에 대해 설명해 놓은 것이었다.

나이팅게일은 병원의 환경과 건강에 대한 관심을 향상시킴으로써 병원에서의 사망을 줄일 수 있다고 주장했다. 병원 건물에 많은 유리창을 끼워 더러운 먼지를 막고, 깨끗한 공기를 공급하기 위한 통풍 장치의 설치와 냄새 나는 하수도의 개량, 그리고 병실에는 적당한 인원의 환자를 수용함으로써 질병의 발생을 사전에 막자는 것이었다. 얼마 있지 않아 많은 병원들이 나이팅게일의 주장대로 개선되어 갔다.

그녀는 병원 환경 개선에 필요한 물품들을 보조받기 위해 각처에 편지를 보내 도움을 청하였다. 그리고 깨끗한 속옷과 시트를 공급할 능률적인 방법을 생각했으며 그 밖에도 음식을 따뜻하게 유지하는 법, 침대 사이를 정확한 간격으로 벌려 놓는 방법 등 사소한 일에도 관심을 가지고 신중히 생각했다.

그녀는 병원의 행정을 하나에서 열까지 모두 뜯어 고칠 작정이었다.

나이팅게일의 생각은 성공적이었다. 세계 곳곳에서 나이팅게일이 주장한 방식대로 병원들이 지어졌다. 깨끗이 단장된 병실은 바로 플로렌스 나이팅게일의 노력의 결실이었다.

《간호 노트》

나이팅게일이 구상한 병원 중의 하나가 성 토머스 병원이었다. 그녀의 협력으로 이 병원이 지어졌는데 나이팅게일은 성 토머스 병원이야말로 간호 학교를 세우기 적절한 장소라고 확신했다.

계획이 진행되는 동안 나이팅게일은 일반 여성에게도 유용한 《환자 간호》에 대한 책과 《간호 노트》를 출판하였다.

시드니 허버트는 이 책을 소설보다 더 흥미로운 책이라고 칭찬하였다.

나이팅게일이 했던 다른 일과 마찬가지로 《간호 노트》는 상당히 혁명적이었다. 이 책에는 오늘날에도 쓰이고 있는 기본적인 건강 유지법이 자세히 서술되어 있다.

나이팅게일은 이 책에 아픈 사람들의 정신적, 육체적 고통을 매우 자세하게 설명해 놓았다. 또한 간호사의 잘못된 생각들을 비난하는 내용의 글도 써 놓았다.

'훌륭한 간호사가 되기 위해서는 환자에 대한 헌신적인 사랑과 충분한 교육이 필요하다. 그러나 지금 우리에게는 이 점이 상당히 부족한 실정이다. 빨리 시정되어야 할 것이다.'

간호 학교 설립

간호사에 대한 잘못된 생각을 바로잡기 위해 나이팅게일은 간호사들을 제대로 교육시키기로 마음먹었다.

그 당시 대부분의 의사들은 전문적인 간호 교육에 대해 반대하는 입장이었다. 그들은 간호사는 경험이나 그때 그때의 단순한 임시 교육만으로도 충

"그녀의 지위는 좀 특별났다. 주위 사람들은 그녀를 '대장 중의 대장'이라고 불렀다. 그녀는 자료를 수집하고 비교해서 증명해 보임으로써 결론을 내렸다. 그 결과를 노트에 정리하고 난 뒤에 사람들에게 친절히 가르쳐 주었다."

세실 우드햄 스미스의 《플로렌스 나이팅게일》 중에서

분하다고 생각했던 것이다. 여자는 여전히 약하고 어리석은 존재로 여겨졌고 심지어 나이팅게일도 그들의 눈에는 같은 존재였다.

《간호 노트》가 출판된 지 6개월 후 나이팅게일은 나이팅게일 기금을 가지고 성 토머스 병원에 간호 학교를 설립했다. 이 학교의 간호사들은 다른 간호사를 훈련시킬 목적으로 교육되었으며, 이미 나이팅게일이 틀을 잡아 놓은 수준 높은 병원으로 파견될 예정이었다.

그들은 단정하고 깨끗한 의복을 입고 엄한 훈련을 받았다. 나이팅게일은 학교의 분위기를 밝고 명랑하게 만들기 위해 꽃, 책, 지도, 그림 등을 보내 주었다. 지금까지는 어떤 간호사도 이런 환경 속에서 공부할 기회를 갖지 못했었다.

몇 달이 채 지나기도 전에 이 학교의 간호사들에 대한 요청이 밀려들어왔다. 나이팅게일의 간호 학교는 성공하고 있었다. 곧 이어 학교의 명성이 세계 곳곳으로 퍼져 나가기 시작했다.

1867년 몇몇의 간호사들로 구성된 단체가 오스트레일리아의 시드니로 보내졌고, 1880년대에는 영국은 물론, 캐나다, 독일, 스웨덴, 미국 등지에서 온 간호사들이 나이팅게일의 간호 학교에서 교육받게 되었다.

한때 간호사들은 매우 문란한 생활을 하는 천박한 여자로 여겨졌지만 오늘날은 세계적으로 가장 존경받는 직업의 하나가 되었다. 이런 변화는 플로렌스 나이팅게일의 변하지 않는 굳은 결심과 노력 덕분이었다.

허버트의 죽음

1860년 나이팅게일은 자신이 자꾸 외로워지고 있다는 것을 느낄 수 있었다. 더욱이 군대의 새로운 규정을 세우기 위해 열심히 노력하던 동료들이 하나 둘 세상을 떠나기 시작했다.

마이 이모마저 집으로 돌아가 버렸다. 또한 시드니 허버트는 심한 병에 걸려 국방성의 자리를 내놓지 않으면 안 되었다.

허버트가 죽은 지 2개월 후 나이팅게일은 다음

나이팅게일의 평화롭고 온화한 모습. '광명의 전사'로서의 시간들은 이미 옛날 일이 되고 말았지만 환자 간호와 불쌍한 사람을 위해 일하고 싶은 마음은 여전히 남아 있었다. 그녀는 환자는 물론 간호사들에게도 친절했다. 크림 전쟁에서 죽어 가는 병사를 보살피고 희망을 불어넣어 준 그녀는 진정 하늘의 전사였다.

과 같은 그의 유서를 보게 되었다.

'가엾은 플로렌스, 가엾은 플로렌스, 아직 우리들의 일은 끝나지 않았는데⋯⋯.'

그녀는 한동안 슬픔에 잠겨 지냈다. 허버트는 그녀의 큰 뜻을 위해 열심히 일해 왔다. 나이팅게일은 그에 대해 이렇게 기록했다.

'나에게 보여 준 천사 같은 당신의 따뜻함을 결코 잊을 수 없다.'

허버트의 죽음은 나이팅게일에겐 큰 손실이었다. 그는 나이팅게일의 다정한 친구로서 항상 그녀에게 국방성의 문을 열어 주었던 것이다. 그녀는 늘 그와 함께 일해 왔었다. 그가 없으면 그녀는 국방성에 들어갈 수도 없었던 것이다.

그래서 그의 죽음은 군대 개혁의 부푼 희망을 터뜨리고 말았다. 허버트를 잃은 슬픔에서 회복될 때 나이팅게일은 군대 개혁에 대한 자신의 열정을 다른 곳으로 옮겨야만 했다.

1861년 미국에서 남북 전쟁이 일어났다. 나이팅게일은 영국이 그 전쟁에 관여한 사건에 긴급한 협조를 요청받았다.

제때에 모든 것이 갖추어지도록 하기 위해 나이팅게일은 밤낮없이 일을 했다. 이 때 과로로 쓰러진 나이팅게일은 침대 신세를 지게 되었다. 1862년 1월 그녀는 다시 침대에서 일어날 수 있었지만 걷기조차 힘들 정도로 약했다.

사회의 유명한 사람들이 잇따라 그녀를 방문했고, 정치가나 병원의 행정관들은 조언과 지시를 받기 위해 찾아왔다. 그녀는 소파에 앉아 중요한 사업들을 지시했다. 그녀는 아무리 하찮은 일일지라도 관심을 버리지 않았으며, 쉬지 않고 편지와 책, 보고서 등을 작성했다.

그녀는 이후 50여 년 동안 제대로 걸을 수 없을 정도로 몹시 쇠약해졌다. 또한 지나치게 일을 많이 한다거나 충격적인 이야기를 들을 때마다 건강은 더욱 나빠져 갔다.

그녀는 사업과 관계 없는 사람은 만나지 않으려 했다. 한 친구는 그녀의 생활 방식을 '플로렌스의 독방 감금 제도'라고 표현했다. 나이팅게일은 사업을 계속 유지하기 위해 힘과 시간을 저축해야 했다. 그래서 일부러 독방에서 생활하는 방식을 택했던 것이다.

더 많은 일을 하다

그녀는 정말 열심히 일했다. 비록 정부 관계자들과 함께 일하지는 않았지만 그들로부터 많은 서류들이 끊임없이 날아들었다. 그리고 각 부서의 장관들은 조언이 필요할 경우 나이팅게일에게 연락했다.

또 정부 관리가 보건 규정을 세우기 위해서는 나이팅게일의 동의가 있어야 했다. 그녀의 동의를 얻은 계획들은 당장 실행될 수 있었다. 이제 그녀는 보건이나 병원 문제의 전문가이듯 정부 각부의 행정 처리에도 전문가가 되어 있었다.

그녀는 편안한 침대에 누워 규칙을 정하고 보고서를 작성하고 편지도 썼다. 행정에 대해 천부적인 재질을 가진 그녀가 만든 몇 가지 놀라운 방식은 그녀가 죽은 후에도 오랫동안 사용되었다.

1947년 연구 위원회의 조사 결과 예전에 사용했던 많은 방법들이 이제 더 이상 사용될 수 없다고 판단되었다. 그런데 군대 의료에 있어서의 원가 계산 방법은 여전히 잘 운영되고 있어 이를 궁금하게 생각했다. 그들은 누가 그 방법을 만들어 냈는지 물었다. 나이팅게일이 그 답이었다.

42세의 나이팅게일은 이제 살 날이 얼마 남지 않았다고 생각했다. 그러나 그녀는 90세까지 살았고 남은 세월 동안 나라에서 가장 힘있는 사람 중의 한 사람이었다.

개혁에 대한 그녀의 활동은 계속되었다. 그녀는 세계를 변화시켰다. 아무런 공식적인 직책이나 비서의 도움도 없이 단지 자신의 소파에 앉아 일을 처리해 나갔다.

인도 군대

그녀는 관심을 아시아의 인도로 돌렸다.

통계표에 의하면 수년 동안 인도 군대의 사망률이 1천 명당 69명으로 나타나 있었다. 이 놀라운 사망률은 더위와 하수 시설의 불량, 오염된 물 등에서 비롯되기도 했지만 더 큰 요인은 비위생적인 막사 생활에 의해 생기는 것이었다. 군사들은 음식 그릇에 세수를 할 정도였다.

인도 군대의 사정은 갈수록 더욱 힘들어졌다. 병사들은 배식도 제대로 못 받았으며 심지어 화장실 시설도 엉망이었다. 이는 군인들뿐 아니라 일반 국민들도 마찬가지였다.

나이팅게일은 이번 일은 각별히 신경을 써야 할 것이라고 생각했다. 이것은 인도 전체의 건강을 향상시켜야 하는 문제로 쉽게 손댈 수 없는 일이었다. 그녀는 침대에 누워 1천 장에 달하는 엄청난 보고서를 준비했다.

그러나 나이팅게일의 계획은 계속 연기되었다. 1864년을 지나 1865년이 되었지만 그녀가 인도를 위해 한 일은 아무것도 없었다.

나이팅게일은 다시 절망에 빠졌다. 몸도 무척 쇠약해졌다. 그러나 그녀는 가슴에 품었던 큰 뜻을 다시 한 번 활짝 펼칠 계획이었다. 나이팅게일은 다른 사람들이 방에 들어오는 것도 꺼리고 오직 일에만 몰두했다.

인도 문제에 대한 또 다른 보고서를 준비하기 위해 13개월을 보낸 후 나이팅게일은 드디어 중요한 일을 완성했다. 그녀는 앞으로 인도 정부에 보건부가 창설되어 매년 보고서를 국회에 제출하게 될 것이라고 확신하였다.

나이팅게일은 다른 계획을 연구하는 동안에도 간호사의 재구성, 법률 제도의 개선, 병원 환경 개선, 산부인과 간호 교육 등에 대한 연구를 계속해 나갔다. 그녀는 엄청나게 일했고 전보다 더 존경받고 있었다.

구빈원 개혁

1864년 12월 거지 한 사람이 런던에 있는 홀본 구빈원에서 죽었다. 물론 소홀한 위생 상태와 불결한 환경 속에서 죽어 간 것이다.

나이팅게일은 불쌍한 형제의 죽음을 알게 해 준 신에게 감사했다. 빈민 구호 협회를 혼내 줄 수 있는 기회가 그녀에게 주어졌기 때문이다.

구빈원의 시설은 말로 표현할 수 없을 정도로 엉망이어서 사람들은 불결함과 굶주림에 시달려야 했다.

영국에서는 구빈원으로 보내진다는 것은 국민들 사이에서 악몽 같은 사실로 받아들여졌다. 빅토리아 여왕 시대에는 만약 구빈원 시설이 그 정도로 엉망이라면 국민들은 거기에 가지 않으려고 더 열심히 일할 것이라고 생각했었다. 그러나 흉년과 질병, 혹은 집안이 망한다거나 너무 늙어 아무것도 할 수 없을 때에는 그 곳이 아무리 싫다고 해도 가지 않을 수 없었다.

1865년 나이팅게일의 간호사들에게 구빈원으로 가도 좋다는 허락이 났다. 의사와 간호사들은 최선을 다해서 환자를 돌보았다. 결과는 놀라울 정도로 훌륭했다.

용기를 얻은 나이팅게일은 구빈원을 완전히 뜯어 고치기 위해 국회에 압력을 가했다. 마침내 1867년에 런던 빈민 구제법이 통과되었다.

나이팅게일은 당시 상황을 이렇게 기록했다.

구빈원은 가난하고 무능력한 사람, 또는 정신 질환자나 고아, 환자들이 찾아드는 곳이었다. 나이팅게일은 구빈원의 환경을 개선하기 위해 간호사를 교육시키는 등 온힘을 기울였다.

자선 병원에 들어가기 위해
기다리는 사람들. 벽에 걸려 있는
게시판에는 '슬프고, 굶주리고,
추위에 떠는 사람은 죄를 짓지
않을 수 없다.'라고 적혀 있다.
나이팅게일은 구빈원을 개혁하기
위해 열심히 일했다.

'우리는 2천 명의 정신 이상자와 80명의 열병 환자, 천연두 환자, 그리고 구빈원에 남아 있던 형제들을 사람이 살 수 있는 곳으로 옮겼다. 이 곳은 사람이 살 장소가 아니다. 그리고 이건 우리 사업의 시작일 뿐이다.'

간호 학교 개혁

시간이 갈수록 나이팅게일 간호 학교의 수준이 떨어졌다.

이를 고민하던 나이팅게일은 1872년 봄 간호 학교의 개혁이 필요하다고 생각했다. 그녀는 병원 가까이로 집을 옮겨 나머지 생애를 학교와 병원을 위해 바치기로 결심했다.

그러나 부모를 돌보아야 할 사정이 생겨 그녀의 계획은 곤경에 처했다. 그녀는 3년 동안 부모를 돌보는 일과 간호 학교를 개혁하는 일을 동시에 해야 했다.

1874년 1월 10일, 그녀의 아버지가 계단에서 굴러떨어져 세상을 떠나고 말았다. 이제 그녀는 가족 전체를 책임져야 했다.

아버지의 죽음으로 갑자기 밀어닥친 슬픔을 그녀는 이렇게 기록했다.

'내 인생은 완전히 부서져 물 속으로 가라앉는 배처럼 보였다.'

그 후 몇 년 동안 그녀는 꾸준히 연구했다. 간호 학교의 수준이 다시 높아지고 훌륭한 간호사들이 성장하는 데에서 그녀는 큰 기쁨을 얻었다. 학교 개혁에 성공한 것이다.

그녀로 인해 군인과 간호사에 대한 생각이 바뀌었다. 부상당한 사람들을 헌신적으로 돌보는 간호사들의 모습을 볼 때마다 사람들은 나이팅게일에 대해 고마워했다.

나이팅게일은 새로운 개혁과 발전을 위해 연구를 계속하였다.

인도에서의 실패

그런데 그녀가 시도한 인도의 보건 환경 개선이 실패로 돌아갔다.

그녀의 전기를 쓴 세실 우드햄 스미스는 당시의 상황을 이렇게 기록하고 있다.

'그녀는 절망의 구렁텅이에 빠졌다. 인도에서의 사업은 정지했고 20년 동안의 희생과 노력이 헛되게도 아무런 성과를 거두지 못했다.'

그러나 그녀는 포기하지 않았다. 인도의 모든 의사에게 편지를 써 상세한 자료들을 보내 줄 것을 부탁했다. 그리고 그 자료들을 수집하여 정리한 다음 다시 계획을 세웠다.

그래서 그녀는 깨끗한 환경을 만들고 오염되지 않은 물을 공급하도록 하여 군대의 사망률을 차츰 줄여 나갔다. 나이팅게일은 고통받고 가난에 눈물 흘리는 인도 국민들을 자기 인생이 끝나는 날까지 책임져야겠다고 생각했다.

그런데 그녀를 지지해 주던 인도의 총독이 그만 세상을 떠나고 말았다. 그러자 이미 제안되었던 사업들이 연기되거나 묵살되었다. 나이팅게일의 계획을 위한 어떤 모임도 열리지 않았다. 개혁은 완전히 실패로 끝난 것이다.

1880년 2월 어머니 파니가 죽었다. 그 때 나이팅

"비록 내가 적십자와 제네바 협정의 창시자로 알려져 있지만 이 모든 영광은 그녀에게로 돌려져야 한다. 왜냐하면 나를 이탈리아로 가게 한 것은 크림 전쟁 당시 세운 그녀의 업적이었기 때문이다."

앙리 뒤낭

게일은 60세였다. 바로 전 해인 1879년 그녀는 어머니에게 다음과 같은 편지를 보냈다.

'어머니, 제 인생에서 어느 때가 가장 힘들었는지 아십니까? 크림 전쟁도 아니었으며 하루 22시간씩 일해야 했던 허버트와의 5년 동안도 아니었습니다. 그 때는 바로 아버지가 돌아가시고 안 계신 지난 5년 9개월이었습니다.'

그 동안 어머니를 간호하고 파세 언니를 돌보았던 일은 나이팅게일에게 침착성과 인내력을 기르도록 주어진 기회였다. 가족들은 도움이 필요하면 나이팅게일에게 부탁했으며, 심지어 나이팅게일을 시기했던 사람들조차 그녀를 괴롭히지 않았고 오히려 도움을 청했다.

그녀는 몇십 년을 품은 큰 뜻을 이루기 위해 헌신적으로 노력했다. 새로운 개혁의 바람이 인도에 불어 오고 있었다.

그녀가 살아 있는 동안 놀라운 약품들이 수없이 개발되었다. 마취약의 발명, 방부제에 대한 리스터의 연구, 세균에 관한 파스퇴르의 발견 등으로 병원의 모습도 많이 바뀌어 가고 있었다. 그녀의 활동과 업적은 의학의 발전에 징검다리 역할을 했던 것이다.

그녀가 평생을 연구하고 조사하여 얻은 지식은 실로 엄청난 것이었다. 스쿠타리에서 활동했던 지난날들이 나이팅게일에게는 몇 광년이나 지난 일처럼 느껴졌다.

노년

힘겨운 삶을 살고 난 나이팅게일의 노년은 행복하고 평화스러웠다. 그녀는 사랑하는 사람들 틈에 둘러싸여 즐거운 나날을 보냈다.

그녀는 살림에는 그리 신경쓰지 않았다. 다섯 명의 직원과 개인 하녀를 둔 그녀는 늙은 지배인이 영국 각지에서 온 편지를 전해 주면 의자에 앉아 그것을 하나하나 읽어 보았다.

그녀의 집은 언제나 말끔히 정돈되어 있었다. 꽃병에는 신선하고 아름다운 꽃이 꽂혀 있었고, 침대에는 깨끗한 시트가 깔려 있었다.

그녀는 간호사가 되고 싶어하는 소녀들이 찾아 오면 기쁜 마음으로 맞이하였다. 그들과 함께 대화를 나누는 동안 나이팅게일은 그들의 성격을 분석하기도 했다.

1890년 파세가 죽고 난 후 나이팅게일은 나이도 잊은 채 사람들에게 건강을 유지하는 방법을 교육시킬 계획에 착수했다. 그리고 국민의 고통을 함께 나누며 새로운 길을 제시해 주었다.

그녀의 눈은 자꾸만 나빠져 거의 앞을 볼 수 없는 지경에 이르렀다. 눈만 좋았더라면 더욱 건강했을 것이다.

그러나 노년의 그녀의 모습은 지난 40년 동안 피로와 갈등으로 얼룩진 얼굴이 아니었다. 비록 이가 없어 볼이 볼록 튀어나오기는 했지만 그녀의 얼굴은 행복하고 평화로워 보였다. 그녀는 이제 더 이상 절망하지 않았다.

1895년 그녀는 이렇게 기록했다.

'살아 있어야 할 이유가 있다. 난 실패와 실망속에서 슬퍼하였고 많은 것을 잃어버렸다. 그러나 삶이란 늙은 나에게는 더욱더 소중한 것이 아닐까?'

장례식

지칠 줄 모르던 나이팅게일도 점점 힘을 잃어가고 있었다. 그러나 많은 업적을 이루었고 크림 전쟁에서 온갖 수난을 참아 냈던 그녀의 육체는 쉽게 식지 않았다.

1901년 그녀는 아무것도 볼 수 없는 완전한 장님이 되었다. 조카들이 다가와 그녀의 귀에 큰 소리로 이야기책을 읽어 주면 그녀는 자신이 알고 있는 유명한 시를 낭송해 주었다. 또 어린 시절 이탈리아에서 즐겨 불렀던 노래를 고운 목소리로 불러 주기도 했다.

1906년 집을 관리하는 사람이 인도 정부에서 찾아온 손님에게 그녀는 더 이상 보건에 대한 보고서를 가지고 있지 않다고 말했다. 그 때 이 말을 들은 나이팅게일의 마음은 몹시 우울했다. 이제 아무 일도 할 수 없을 정도로 늙었다는 데 대해 그녀는 한숨을 쉬었다.

1907년 11월 왕 에드워드 7세는 나이팅게일에게 여자에게는 처음으로 메릿 훈장을 달아 주었다. 나이팅게일은 무슨 일인지 몰라 몇 마디 중얼거린 후 고맙다는 말만 되풀이했을 뿐이었다.

1910년 5월 나이팅게일 간호 학교의 축제가 다가왔을 때 뉴욕 카네기 홀에서는 기념 행사를 위한 회의가 열렸다. 그 당시 1천 개 이상의 간호 학교가 미국에 세워져 있었는데 나이팅게일의 업적은 그 회의에서 높은 평가를 받았다.

그러나 나이팅게일은 그러한 사실도 모르고 점점 쇠약해지기만 했다. 그러던 1910년 8월 13일 플로렌스 나이팅게일은 90세의 나이로 잠들어 다시는 깨어나지 않았다.

그녀의 장례식은 그녀가 원했던 대로 조용하게 치러졌다. 6명의 영국군 병사에 의해 집 근처의 아늑한 곳에 곤히 잠들었다. 조그마한 십자가가 그녀의 무덤 앞에 세워졌다.

'플로렌스 나이팅게일, 1820년에 태어나 1910년에 죽다.'

그녀는 결코 훌륭한 장례식을 원하지 않았다.

1910년 플로렌스 나이팅게일의 장례식에 조의를 표하기 위해 간호사들은 버스 행렬을 이루었다. 그녀는 그 시대 사람 중 가장 힘있고 영향력 있는 사람이었다.

1820	5월 12일 부모의 이탈리아 여행중 피렌체(플로렌스)에서 태어남.
1837	2월 7일 '신의 종'으로서 불쌍한 사람들을 위해 봉사하기로 결심함.
1844	간호사가 되기로 마음먹고 새뮤얼 하웨로부터 도움을 받음.
1845	친구의 오빠인 헨리 니콜슨의 청혼을 받았으나 신의 종으로서 일하기 위해 거절함. 병원에 관한 공부를 하는 한편 외국의 의료 시설에 대한 자료를 수집하여 정리함.
1847	로마 여행중 시드니 허버트를 만남.
1849	리처드 밀네스의 청혼을 거절함. 독일의 카이제르스베르트 병원을 둘러보고 자신의 결심을 더욱 굳힘.
1850	언니 파세노프를 6개월 동안 간호함.
1851	집안의 반대를 무릅쓰고 독일의 카이제르스베르트 병원으로 건너가 간호 교육을 받음.
1852	프랑스의 의료 시설을 둘러보고 카톨릭 단체에서 운영하는 병원에서 간호 교육을 받음.
1853	33세의 나이로 런던 숙녀 병원의 감독관이 됨. 11월에 크림 전쟁이 일어남.
1854	카이제르스베르트 병원의 방침을 따라 농부의 딸들을 간호사로 육성하기 위해 모집함. 11월 5일 38명의 간호사를 거느리고 크림 반도의 스쿠타리 야전 병원에 도착함. 야전 병원의 환경을 개선하는 한편 환자 간호에 전념하여 병사들로부터 '광명의 천사'라고 불림.
1856	3월 16일 영국군 병원 여성 간호사 총책임자가 됨. 4월 29일 크림 전쟁이 끝남. 귀국하여 빅토리아 여왕과 앨버트 공을 만난 자리에서 병원 개혁안을 건의함.
1857	나이팅게일의 건의에 따라 군대 병원의 개혁이 시작됨. 해리 베르니로부터 청혼을 받았으나 거절함. 해리는 이듬해에 나이팅게일의 언니인 파세노프와 결혼함.
1859	《병원에 관한 노트》와 《간호 노트》를 출판하여 큰 호응을 얻음.
1860	나이팅게일 기금으로 성 토머스 병원에 간호 학교를 설립하여 운영함. 나이팅게일에게 많은 도움을 주었던 시드니 허버트가 세상을 떠남.
1861	미국에서 남북 전쟁이 일어남. 이후 영국 육군은 물론 국내의 각 부서 및 외국 정부의 자문에 협조함.
1863	스위스의 앙리 뒤낭이 나이팅게일의 활동에 자극을 받아 국제 적십자

사를 창립함.

1865   구빈원에 간호사를 파견하여 개혁을 시도함. 그 결과 1867년에 국회에서 런던 빈민 구제법이 통과됨. 인도의 보건 환경 개선을 위해 보고서를 작성하기 시작함.

1872   간호 학교의 수준이 떨어지자 집을 성 토머스 병원 근처로 옮겨 학교와 병원을 개혁함.

1874   1월 10일 아버지가 계단에서 굴러떨어져 세상을 떠남.

1880   2월 어머니 파니가 세상을 떠남.

1890   언니 파세노프 죽음.

1901   건강이 극도로 악화되어 앞을 볼 수 없는 지경에 이름.

1907   에드워드 7세로부터 메릿 훈장을 받음.

1910   8월 13일 90세를 일기로 세상을 떠남.

1912   플로렌스 나이팅게일의 업적을 기리기 위해 국제 적십자사에서 환자에게 특별히 공헌한 업적이 있는 간호사를 선정하여 '나이팅게일 기장'을 수여하기 시작함.

세계위인전 3

나이팅게일

■ 발행처/중앙교육연구원㈜ : 서울특별시 종로구 연지동 1-30
　　　　대표전화 : 563 − 9090, 735 − 9600
　　　　등록번호 : 제2 − 178호
■ 발행인 / 장평순
■ 지은이 / 팜 브라운
■ 엮은이 / 중앙교육연구원㈜ 편집부
■ 인쇄처 / 고려서적㈜
■ 제본처 / 태성제책㈜
■ 첫판 인쇄일 / 1991년 6월 20일
■ 첫판 6쇄 발행일 / 1996년 1월 20일
■ ISBN 89 − 21 − 40052 − 4
　　ISBN 89 − 21 − 00007 − 0 (세트)

세계 위인전은 영국의 엑슬리(EXLEY)사와 계약을 체결
하여 출판되었습니다. 대한 민국에서는 중앙교육연구원
㈜가 본 책의 판권을 소유하고 있으므로 본사의 동의나
허락 없이는 내용이나 사진을 사용할 수 없습니다.